地方創生読本

― 千葉県浦安市編 ―

水野　勝之　編著

五絃舎

はじめに

　2007年水野勝之編著『日本一学―浦安編』創成社という本を出版した。どこの地域にも「日本一」と思われる事項があるはずである。浦安の日本一と思われる内容を専門の方々に分担して執筆いただいた。データの上での日本一だけでなく，著者の主観の日本一を記した。地域活性化が全国で工夫されている現在，浦安だけでなく，各地域の特性をまとめた本をシリーズ化し，全国の各地の「地方創生読本―○○編」を作りたい。

　本書はその浦安バージョンである。2007年から15年たった今，浦安は大きく変わったはずである。浦安の日本一も変わっているし，新たに地域の個性が生まれている。本書は，浦安の個性と思われる事項を念頭に，各担当者の専門分野の経験，知見をもとに執筆した。一般読者が対象なのでやさしい内容としたつもりである。

　共著者らとともに経済的視点から浦安に光を当てつつ，歴史については数ある浦安の歴史の本をまとめたつもりである。浦安の経済についての文献は多々あるが，それらをまとめ上げ，専門的視点から論じたものはない。本書はそれへの挑戦である。

　本来ならば1次資料に基づくのが理想的であるが，本書の歴史は全体を通して「浦安町誌」や各種HPを手繰り・参照しながら構成した。歴史の事実から外れないため，書き方をできるだけ変更したものの内容がそれらと大きく異ならないようにした。執筆責任は各

章の担当者が負うのは言うまでもない。最後に本書の出版を担って
くださった株式会社五絃舎長谷雅春氏に謝意を表したい。

2022年11月

水野　勝之

目　　次

第2編　浦安経済

第4章　浦安の産業史（漁業以外）（水野勝之，水野貴允）―― 89

第1編　総合

第1章　日本一のまちづくり(浦安現代経済史：二人のリーダー)

―世界でも他に類を見ない経済構成地図―

水野　勝之

(明治大学商学部教授)

1. はじめに

　地域を話題にした本を作ると，地域の首長を政治的に「よいしょ」する本になりやすいが，本章では著者独自の視点で，および主に首長たちの街づくりの業績を俯瞰する専門的見方をしてみる。

　本章では，浦安の現代史において今の浦安を作り上げた二人の首長の貢献について論を展開したい。熊川好生氏と松崎秀樹氏の両首長の下，浦安経済は大きく変革した。もちろんプラス面もマイナス面も持ち合わせているが，リーダーとして今の浦安経済を作り上げたのはこの二人であるといっても過言ではない。二人が浦安経済(含平和，国際交流等)を作り上げた現代史を筆者の視点で展開する。

2. 熊川市政期^(注1)—浦安の中興の祖としての活躍—

　熊川好生町政は1969年（昭和44年）から始まり1998年（平成10年）に市長を引退するまでの約30年に及んだ。就任期間が「あまりに長すぎる」という問題はあったものの，経済・産業政策的に数々の大きな功績を残した。2017年（平成29年）浦安市議会の賛同を得て，熊川好生（2002年没）は浦安市名誉市民の称号を贈られた。本節を読めば，お世辞抜きに彼の浦安経済の変革の偉大さが分かる。

　浦安は1970年前後に漁業をあきらめ，その結果として浦安の埋立地が1977年（昭和52年）に完成した。熊川町政，市政の特徴は，浦安の地形の活用を決める過渡期といえる重要な時期に浦安経済の確固たる基盤を作り上げたことである。埋め立てられた土地に何を造るかで浦安の100年間の将来は決まってくる。また，前（将来）ばかりを見るわけにもいかず，埋め立てのために漁業権を放棄した人たちのケアも考えなければならなかった。前方向と後ろ方向の両方を見ながら決断と実行を進めたのが熊川好生であった。彼が浦安の中興の祖と位置付けられる所以である。

1）失業対策—創造的破壊の成功—

　熊川町長は誕生直後から経済的な大問題の解決に取り組まなければならなかった。それは失業対策であった。初当選後の熊川は漁業

（注1）熊川町政については次の参考文献を基にした。
　前田智幸「海と浦安　江戸からいまへ」市川よみうり掲載
　http://www.ichiyomi.co.jp/umi/umi.html
　前田智幸「命がけの陳情書」創英社（三省堂書店），1999年。

権放棄後の元漁師たちの失業問題に直面していた。かつて浦安は漁業の町であった。1971年（昭和51年）浦安漁業協同組合，浦安第一漁業協同組合の二つの組合が漁業権放棄を承諾し，浦安の漁業の長い歴史が幕を閉じることとなった。浦安漁業の終焉である。漁業権放棄にあたっては漁師一人当たり860万円の補償があったという。だが，高額な補償金を受け取ったものの，生活を続けていくためには何らかの仕事を続けていかなければならない。いわゆる失業状態になってしまったのである。彼らは漁については一流のプロであるかもしれないが，他の仕事に関しては全くの素人である。ましてや陸に上がっての仕事である。彼らに適する新たな仕事がなかなか見つからなかった。このことは漁師らだけに当てはまることではない。浦安経済は漁業で成り立っていたので漁師以外の人も貝の加工や海産物の佃煮づくりなど漁業にかかわった仕事をしている人たちが大勢いた。そうした漁業関係者も失業の危機にさらされた。結果として地域的な大失業地帯が生まれていた。この対応が熊川の最初の大仕事であった。

　こうした人たちを新たな仕事に就かせるのが熊川町政の初期の仕事となった。若い人たちは鉄鋼団地などに吸収され，第2次産業で新たな職を得，活躍できた。しかし中高年になると転職は容易ではない。彼らはデスクワークを行ってたわけではない。したがって，直ちにデスクワークに移れるわけではなかったので失業者という位置づけになった。

　「商売を創業しようとする者への低利融資，自動車免許証を取得しようとする者への一部補助，漁師家庭の高校生への奨学金の支給などきめ細かな対策」[注2]を打ち出すことで熊川はこの大量失業問題

(注2) 前田「陸の仕事に戸惑う漁師」（2022年4月18日確認）
　http://www.ichiyomi.co.jp/umi/index1.html#hhh

に対処したそうだ。その支援策が功を奏し，漁業関係者の再就職・再雇用問題が落ち着きを見せた。東京都や周辺自治体の清掃業などに携わる人が多かった。

　ただ，みなが受け身で次の仕事に就いたかというとそうではない。中には，それまでは他の自治体からの清掃車に任せていた清掃業を自分たちで起業し，浦安での清掃業を確立した人たちもいた。今の浦安での融通の利いたごみ収集の基礎を築いたのである。浦安での清掃業の仕組みはのちに日本一と称されるまで至ったが，これもこの時の熊川や清掃業を起こして成長させた元漁業者の努力によるものであろう。こうして浦安は大きな産業転換期をより一層浦安を発展させる形で乗り切った。

　経済学者ヨーゼフ・アロイス・シュンペーターは「創造的破壊」という言葉を生み出した。イノベーション（技術革新）で従来の仕事が消えるとき，新しい仕事も生み出され，失業した人たちが新たな職業に就くという意味である。歴史はこの繰り返しであるという。浦安が漁業権放棄した後の鉄鋼団地の拡大，テーマパークの盛り上がりを考えれば，「浦安的」創造的破壊が成功したといえよう。

2）東京ディズニーランドの誘致

　1983年（昭和58年）に浦安に東京ディズニーランドが開園した。いまや東京ディズニーリゾートとして世界中から人を集めている。この開業に携わったのも熊川市政時であった。東京ディズニーランド開業のための苦労については元社長の加賀見俊夫氏が，日本経済新聞の「私の履歴書」で複数回紹介している（2017年5月など）。周囲の理解が得られない中で東京ディズニーランドの開業にこぎつけたという。もちろん行政のサポートがなければこの成功はなかった。行政側といっても市全体が全面的に応援しているのではなくそ

の中の長である熊川が強いリーダーシップを発揮して東京ディズニーランド誘致を推し進めた。加賀見と熊川のタッグが東京ディズニーランドを実現したといっても過言ではない。

　開業に至るまで紆余曲折であった。計画途中でくじける組織や人，様子見に入る組織や人，反対する立場の組織や人などさまざまであったという。

　浦安の埋立地は当初工業用地であった。製造業を誘致し工業化を進めるための土地であった。しかし，日本経済の陰りから工業の飽和状態となり，今さら浦安の埋め立て地に工場を立地する必要がなくなった。そこで，住宅地への転用が決まった。テーマパークの根幹の組織となる三井不動産がこうして決まった住宅地の舞浜の一部をテーマパークにしたいと市に要請した。前田智幸氏のHP資料によれば，そのあと三井不動産がやはりテーマパークをやめて住宅地にしたいと町に打診してきたという。三井不動産は，当初よりテーマパーク建設の姿勢がぐらぐら揺らいでいたという。不安定な姿勢でこの話を進めていたようだ。テーマパークの実現を目指していた熊川町長が「もし，そのようなことを企てるのなら，全体を一種住宅専用地域に指定し，道路，学校，公園，その他公共施設の全てを開発行為で負担させ，儲からないようにする」というコンセプトを表明し，断固東京ディズニーランドの実現の方針を曲げなかった。

　東京ディズニーランドの建設計画に揺らいだのは三井不動産だけではなかった。当初は積極的に協力していたアメリカの本家のディズニーランド本社も，浦安の東京ディズニーランドを建設することから一歩引いたのである。三井不動産同様，途中で採算に疑問を持ち始めたからである。以来，ディズニーランド本社からの要求は故意に高めに設定され，その対応に日本側がたいへん苦慮することとなった。

だが，東京ディズニーランドの夢を実現させるためにはこれらの難条件を乗り越えなければならなかった。1978年（昭和53年）に熊川を団長として，現地の視察を兼ねて，かつ千葉県知事の書簡を携えてアメリカのロサンゼルスのディズニーランド本社（ウォルト・ディズニー・プロダクション）に乗り込むこととなった。いざ行ってみると，ディズニー側の言葉はやさしく，相手側の会長から計画推進に協力してくれる旨の言質がいただけた。同時に，地域との共生という点で，ディズニーランドのあるアナハイム市やディズニーワールドがあるオーランド市からもメリット，デメリットなどの情報を得てきた。「いざ敵陣へ」という意気込みで向かった一行だったが少し拍子抜けしたのではなかろうか。ともあれ，この時の訪問が東京ディズニーランドの実現に向けての大きな転換点となった。この訪問は浦安の歴史だけでなく日本の歴史にも残してよい重大な史実である。いま東京ディズニーワールドが浦安市に協力的な関係で共存できているのも，この時にアメリカのディズニーランドの地元地域から得られた情報から地域との共生のメリットを生かす仕組みを構築できたからであろう。

　熊川たちの帰国後は東京ディズニーランドの開業への準備が急ピッチに進んだ。そして冒頭のように1983年（昭和58年）に無事開業を向かえることができた。もちろん民間側の加賀見たちの並大抵でない努力は欠かせなかったものの，行政側から東京ディズニーランドの礎を作ったのは熊川町政に他ならなかった。

3）町から市へ

　自治体には市町村がある。このうち，市となる要件は，「人口5万人以上，当該市の中心の市街地を形成している区域内にある戸数が全戸数の6割以上，商工業その他の都市的業態に従事する者及び

その者と同一世帯に属する者の数が全人口の6割以上，以上のほか都道府県の条例で定める都市的施設その他の都市としての要件を備えていること」（地方自治法第8条）である。この中でも肝心の要件は人口が5万人以上というものである。1975年（昭和50年）1月に3万人を越えた人口が1979年（昭和54年）5月に5万人を突破した[注3]。この条件を満たし，1981年（昭和56年）熊川町長の下，浦安町は浦安市へ移行した。浦安市の誕生である。

町から市へ名前を移行しただけでは，内容的に実質的大きな違いはない。1983年（昭和58年）の「東京ディズニーランド」のオープンを控えて，「町」のままであることは印象として好ましくなかった。わずか2年で人口を2万人も増やしている。ディズニーランドの頭につく「東京」の名に見劣りしない自治体であるべきである。「浦安町」から「浦安市」へと名称の上で変えたのは熊川氏の大きな功績のひとつと言える。1909年（明治42年）に浦安村から浦安町に移行してから約70年後のことであった。約70年間の浦安町に終止符が打たれた。浦安市の誕生は，地下鉄東西線の開通，東京ディズニーランドの開園によって浦安が近代都市の仲間入りをした第一歩であったといえよう。

4）平和都市の構築

現在東京ディズニーリゾートには世界各国から観光客が訪れるようになった。浦安経済も，日本経済もそうした観光客のおかげで成り立っている。浦安を支え，日本を支えてくれている人たちの幸せを願うのは我々の責務である。皆の幸せの土台は平和である。平和

（注3）浦安市の歩み｜浦安市公式サイト
　https://www.city.urayasu.lg.jp/shisei/profile/rekishi/1001462.html

な状態がなければ人には幸せが来ない。

　浦安では1983年（昭和58年）の東京ディズニーランド開業時に
いち早く「非核平和都市宣言」を求める決議が市議会でなされ，
1985年（昭和60年）に熊川市長が「非核平和都市宣言」を行った。
1991年（平成3年）に浦安市非核平和事業基金条例によって非核平
和事業基金も準備された。

　「非核平和都市宣言」は次のとおりである。（中略も考えたが，文言
を削るところがない理念となっているため全文掲載した。）
　「真の恒久平和は人類共通の願いである。しかしながら，核軍備
　の拡張は依然として続けられ，世界平和に深刻な脅威をもたら
　していることは，全人類のひとしく憂えるところである。わが
　国は，世界唯一の核被爆国として，また平和憲法の精神からも，
　再びあの広島・長崎の惨禍を絶対に繰り返させてはならない。
　私たち浦安市民は，日本国憲法に掲げられた恒久平和主義の理
　念のもとで"緑あふれる海浜都市"づくりを進めており，その実
　現もまた平和なくしてはあり得ない。
　私たち浦安市民は，被爆40周年の節目にあたるこの機会に，非
　核三原則が完全に実施されることを願いつつ，すべての核兵器
　保有国及び将来核兵器を所有しようとする国に対し核兵器の完
　全禁止と廃絶を希求し，世界の恒久平和確立のため，ここに『非
　核平和都市』となることを宣言する。
　　　　　　　　　　昭和60年3月29日　　　千葉県浦安市」

この宣言に関連し，4つの非核平和事業が行われた。「市民への普
及・宣伝活動」「他の自治体との連携および情報交換活動」「被爆者
への扶助活動」「平和教育の推進」である。

1985年（昭和60年）に宣言塔が浦安市役所と東西線浦安駅に建てられ，1993年（平成5年）に宣言碑がJR新浦安駅の前に建てられた。また，非核都市宣言文が記された宣言板が市内の公共施設や中学校に順次設置された。

　第1の「市民への普及・宣伝活動」の一環として，1991年（平成3年）若潮公園に平和の像が建立された。彫刻家の佐藤忠良氏による。「平和のシンボルとして，末永く市民に愛され，親しまれる平和の像」というコンセプトを持っている。ポスターやパネル，種の配布，展示などのソフト的な活動と並んで，永久に残り，理念が受け継がれていくハード的な活動である。

　第2の「他の自治体との連携および情報交換活動」として1986年度（昭和61年度）に「日本非核宣言自治体協議会」にも加入した。この会は同じく加入している他の自治体との情報の交換の場となっていた。平和活動で何をすべきかについて他の自治体の情報を参考にすることができるというメリットがあった。1995年（平成7年）に浦安市は，中国とフランスの核実験に反対要請文を送ったり，実験反対署名を行うなど協議会と連携して平和のための積極的な活動を行った。

　第3の「被爆者への扶助活動」として，1986年（昭和61年）に制定された浦安市原子爆弾被爆者見舞金支給要綱に基づき被爆者に見舞金を支給するとともに，1993年（平成5年）広島・長崎の原爆被害者で構成された浦安被爆者つくしの会が発足するのをサポートした。その会の目的は「広島・長崎の原爆被害者としての経験をもとに，平和のための諸活動に参加し，会員全体の親睦と友愛の絆をより強めていくこと」であり，理念は「被爆者相互の融和を図るとともに非核平和宣言都市である浦安市の在住被爆者としてのあり方をつねに心にもち，人々の平和のために役立ちたい」というもので

あった。浦安市はこの会への補助金の交付も行った。

5) 国際交流都市　（まちづくり編pp.358-364）

　東京ディズニーランドの開業は浦安市に新たな流れを加えた。国際交流の活発化である。インバウンドの先駆けである。外国人来訪者数が増えたことから，浦安は国際的なまちづくりに重点を置くこととした。1986年（昭和61年）浦安市の秘書課内に国際交流係を設けた。この時の市の方針として「市民主体の国際交流」を掲げた。外国人訪問客数の増加，外国人移住者の増加，市民の国際交流熱の高まりを受けたものである。1987年（昭和62年）には，秘書課から独立した国際交流係が国際交流課に模様替えした。

一口メモ　―浦安被爆者つくしの会―

　この会は現在も健在である。2020年10月16日の朝日新聞によると，現在のメンバーは24名であり，市の依頼で，小中学校で体験語りを行っている。彼らがいまも（上記の）第4の「平和教育の推進」も担っている。

　悩みは，継いでくれる人がいなくならないかということだそうだ。会のメンバーも高齢化が進み，いずれ直接語れる人がいなくなる。その時が心配だという。そこで，市外の原爆被爆者の声を集めての朗読劇を動画として作成したとのことである。朗読劇とは「5人の出演者が多くの被爆者が残した体験や今も続く後遺症を代弁して語る」ことだそうである。この動画はユーチューブに2020年11月にアップされた。こうした動画を残しておけば，半永久的に「直接」平和の必要性を訴えることができる[注4]。

　浦安被爆者つくしの会は今なお活発に活動している。

（注4）朗読劇 被爆者の訴え「伝えたい あの日のことを」　浦安被爆者つくしの会
　　https://www.youtube.com/watch?v=fEq94x6kGe8

　筆者の見解である。現在日本は総保守化し，中国や一時韓国等を目の敵にしている。防衛予算を大幅に増やしたり，憲法9条の改正を行うという声が大きくなりつつある。だが，よく考えてほしい。防衛予算を大幅に増やしたり憲法を改正していくら自衛隊を増強し，防衛装備品と称される戦闘機や戦車もろもろを増やしたとしても，10年後，20年後の技術を考えれば数千台の防衛の戦車に囲まれた日本であったとしても宇宙からレーザーを1回発射されただけで大きな被害を被る。あるいはコンピュータのハッカーによって，日本の防衛装備や原発施設がコントロールされてしまったら日本は壊滅的である。現代の視点での保守化は急速な技術進歩後の10年後20年後には通じない。

　この時一番大切なのは，外国に敵対心ばかりを抱かず平和を願う協調である。日本は平和でリーダーシップをとれる国になっておくことが重要だ。経済を発展させ，平和都市に位置付けたのは熊川市政である。平和の概念の基本を熊川市政が浦安に築いたと解釈している。国レベルではなく自治体レベルであるかもしれないが，その点で筆者は熊川市政を高く評価する。

　市の市民主体の国際交流のコンセプトに先立ち，1985年（1960年）に浦安市国際交流ボランティア制度が開設された。翌年9月末には154人の登録者数で12か国語に対応できるようになったという。彼らは国際交流協会や外国人相談窓口でのアドバイザーの役割も担った。市の英語版テレホンサービスの録音なども手伝ったり，国際交流事業での通訳，案内，翻訳もサポートしたそうだ。浦安市を訪れる外国人，在住の外国人への対応を行う国際的バリアフリー化にほかならなかった。

　1986年（昭和61年）には，浦安在住外国人会が発足した。1986年の発足時56名の方が参加したという（市内の外国人の居住者数は624人）。まさに市の方針である「市民主体」の国際交流を担う団

体が生まれた。1988年（昭和63年）には33か国108人，1995年（平成7年）には42か国184人と規模を拡大させた。会員同士の親睦だけではなく，国際交流活動も活発に行った。

　1987年（昭和62年）には浦安市国際交流協会が発足した。市役所の国際交流課内に事務局を置きながらも，任意団体としての発足である。1988年（昭和63年）当時の会員数は約900名となった。外国人との交流や親睦を進めるだけの役割ではなかった。国際交流協会の最初の重大な使命は，浦安市の国際姉妹都市候補として，ディズニーリゾートのあるアメリカのオーランド市を推薦するという大きな仕事であった。これは1987年に熊川市長から提携先を推薦するように依頼を受けたからである。国際交流協会は浦安市の姉妹都市としてオーランド市と並んでオーストラリアのウォロンゴン市を挙げていたが，後者が川崎市と姉妹都市提携を検討していることが判明し，候補がオーランドに絞られた。それ以外の理由として，急成長都市同士であること，お互い人口が急伸していること，新住民が多いこと，そしてなんといっても，双方ともディズニーランドが共通していてそれによる活性化が著しいことが挙げられた。1989年（平成1年）10月，オーランド市において姉妹都市提携の調印が交わされた。その後，逆にオーランド市から副市長一行が浦安市を訪問し，1990年（平成2年）1月，今度は浦安市で調印式が行われた。なぜ2回行われたか筆者は存じないが，ともかく両市が姉妹都市関係になったことは確かである。

　オーランド市との姉妹都市の提携が行われた後，オーランド市から来日した市民の受け皿として国際交流協会が中心となって相互交流を促進させた。具体的なオーランドとの交流事業として6つが挙げられる。第1は，青少年のオーランド市への派遣である。1990年（平成2年）から毎年12-20名の中高生をオーランド市にホーム

ステイで派遣するようになった。オーランドでは市内見学や現地の青少年との交流などを行ったという。異文化体験、国際交流を通して、少年少女が国際理解を深められるとともに、両市交流の親善の役割も果たした。第2は、浦安市の英語担当教員のオーランド市への派遣と現地研修を行ったことである。1991年（平成3年）より夏季休業期間中に中学校の英語担当教員を派遣し、中部フロリダ大学で英語研修を受けさせたという。英会話能力を向上させることや、国際的視野の見識を身に着けさせることが目的だった。教員の質の向上により英語教育力の向上が図られた。第3は、オーランド市から中学校の英語指導助手を派遣してもらったことである。協定を提携する以前は市内の6つの中学校を合わせて2名しかネイティブの英語指導助手がいなかった。だが、両市の姉妹都市提携後、浦安市内の7中学校に中部フロリダ大学の卒業生を7名派遣してもらった（1995年（平成7年）度）。彼らは担当教員とチームになって英語授業を行うとともに、部活の英語クラブの指導も行った。第4は、「友好の翼」事業である。これは、一般公募した市民40名をオーランド市に派遣するというものであり、1991年（平成3年）に始められた。市内の見学を行ったほか、オーランド市民との交流も行った。第5は、マラソンランナー交流であった。コロナ禍を除いて浦安では毎年ハーフマラソン大会が行われている。1991年（平成3年）からオーランド市の優秀なマラソンランナー4名（男女4名）を招くとともに、浦安のハーフマラソンで優秀な成績を収めた4名（男女4名）をオーランド市のマラソン大会に派遣した。第6は姉妹都市提携5周年記念事業であった。5周年の1994年（平成6年）オーランド市から市民を含めた代表団と少年合唱団が浦安を訪れた。合唱団は市内で記念コンサートを行ったり、各小学校で合唱を披露した。

オーランド市との交流だけでなく，「アセアン青年招へい事業」
として，アジアで日本語を勉強する青少年に対して1992年（平成
4年）より作文コンクールを行い，その優秀者を浦安に招く事業な
ども行った。
　以上から浦安市が国際交流を活発化させた様子がうかがえる。

6) 小括

　熊川町政・市政の功績は，市民経済，鉄鋼団地（この詳細につい
ては前掲書水野編著（2007）pp.77-96を参照），東京ディズニーラン
ドの浦安3経済の基盤を作り，それらを軌道に載せ，走らせるとこ
ろまで至ったことである。他の自治体がうらやむ，浦安市の財源確
保の基盤を作り上げた。熊川町政・市政は浦安に安定的な地域経済
の土台を作り上げた。
　浦安は東京から近く，JRにしても地下鉄にしても東京駅や日本
橋から30分もかからない。首都高速が市の真ん中を突っ切り，東
西への市民の交通，観光交通，ロジスティック（物流）が非常に便
利である。当時まだ未使用の広大な敷地が残っていた。こうした好
条件があったとしても，安定的な経済を作り上げるのは難しい。各
種経済が入り乱れて，経済社会の質が低下するかもしれなかった。
熊川町政・市政では，市民経済，鉄鋼団地，東京ディズニーランド
という3つの経済を誰にでもわかるようにすみわけをしたため，各
所とも日本一を誇れるような経済となりえた。結果として浦安全体
で質の高い経済社会が構築できることにつながった。また，その3
経済に伴う文化も作り上げた。漁業権の全面放棄での失業対策の混
迷から始まり，新しい経済の形を築くところまで至ったといえよ
う。まさに熊川氏には浦安経済の中興の祖という称号がふさわし
い。

3. 松崎市政期—水の都造り—

　病気で退任した熊川氏に代わって1998年（平成10年）に松崎秀樹氏が市長に就任した。29年にわたる熊川町政・市政が新たな視点で転換されることになった。

1) 経済地図の完成

　松崎市政の最初の仕事の一つはテーマパーク，鉄鋼団地，市民経済の3経済の構成を完成させることにあった。実際，市民経済の中で当初開発が遅れていた新町の開発を成就させ，元町，中町，新町からなる市民経済地図を完成させた。21世紀に入ったばかりの当時新町地区は塀でおおわれ，開発真っ最中であった。いまや海辺までもが落ち着いた街並みとして市民生活の場となっている。また，テーマパーク経済においては，東京ディズニーリゾートとして2001年（平成13年）9月にシーワールドの導入も行った。これらの完成によって3経済を確立化させた。21世紀の経済の流れや技術の進歩に合わせて松崎市政はリズミカルに浦安経済を完成させたといってよい。松崎市政は浦安市の「現代化」を推進し実現させたといえよう。3経済の現代化にともなって解決すべき課題も生じた。そうした問題の解決に取り組んだのも松崎市政の特徴であった。

2) 交通の再整備

　地域の発展には交通網の整備は重要である。京葉線，湾岸道路の（東京への）縦（放射線）の交通は熊川時代に整備されたが，市民にとって不便な面がいくつかあった。第1は市内の移動も大通りの大型バス交通に限られ，近くに移動するにもバス停まで歩かなければ

ならないという不便さがあることであった。第2に，東京ディズニーランドへの市外からの交通混雑で市民の交通が妨げられていたことである。第3は，鉄鋼団地を行き来する1日6,000台のトラック[注5] が市民の安全を脅かすことであった。松崎市政が始まった20世紀最終盤にはこうした交通の問題が未解決なままであった。

① お散歩バス

　もちろん松崎市政が日本で初めてコミュニティバスを走らせたというわけではない。だが，いまやお散歩バスは市民に欠くことのできない生活の足となっている。数路線が市の至るところを巡らせている。走っているバスを見ても，乗客の姿があり市民が重宝している様子がうかがえる。

　2002年（平成14年）4月に新浦安駅から市役所を通って医療センターまで行く「医療センター線」が開通したのがお散歩バスの最初であった。大型バスが通れない小さい路地までも行き来し，市民の便利な足となった。次第に路線が増え，市民の活用の幅が広がった。その後2007年（平成19年）3月には「舞浜線」も開通し，交通の第1の問題である市内の移動を容易にした。

② 首都高舞浜入り口開通

　第2の問題は，東京ディズニーランドの観光客の車の往来の道路，市内の（鉄鋼団地の）産業道路，生活道路が同一だったことが原因で市内の大きな通りで交通混雑が発生していた。市内のいたるところで悲しい交通事故が繰り返されてきた。たとえ浦安市民同士の交通事故であったとしても，東京ディズニーランド観光客や鉄鋼団地のトラックによる交通混雑が間接的に市民同士の事故を誘発した可能性がある。

(注5)『日本一学―浦安編』水野勝之編著　第一章，創成社，2007年。

この解決には，東京ディズニーランド観光客のための道路，鉄鋼団地に来るトラックのための産業道路および市民の生活道路のすみわけが必要であった。その一つの解決策として，2001年（平成13年）に首都高速の舞浜ランプが開通した。これは，3者のうちの東京ディズニーランドへの観光客の車の通りを大きく変更した。東京ディズニーランドの観光客が市内の生活道路を通らず，ほぼ直接首都高速に乗れるルートを確保したからである。もちろん鉄鋼団地のトラックもこのランプから東京方面に行けるので市内をあちらこちら走らず直接活用できる。交通の流れを大きく変えた。これは松崎市政での交通整理の大きな功績の一つであった。

3）水を生かす

① 市民と水との壁

　浦安市は3方を水に囲まれている。北と西に旧江戸川，南に東京湾。東の猫実川の存在を考えれば，4方を囲まれているといっても過言ではない。そして市の中心部を境川が流れる。一部陸続きではあるが，ほぼ水に囲まれているといってよい。水に囲まれた日本一の陸地といってもよい。かつて漁業が栄えた街だけあって水の都といってもよい環境である。

　だが，松崎市政が始まる前まで市民はこの水にほぼ触れることができなかった。別章で述べるように，浦安はたびたび高潮による津波で大きな被害を受けてきた。そのために高く頑丈な護岸を備えてきた。それが，市民と水を隔てる大きな要因となり，市民は水を前にしながら触ることもできなかった。旧江戸川では橋の上からのぞくしかなかった。東京湾は頑丈な護岸を乗り越えてテトラポットの上に登って眺めるしかなかった。浦安は水の都市であるにもかかわらず，市民はほとんどその水に触れる機会がなかったのである。

② 散々な目に合っていた浦安の海

浚渫[注6]という言葉を聞いたことがあるであろうか。この漢字を読めたらすごい。浦安を埋め立てるための土はどこから持ってきたのか。実は浦安沖から海底土砂を掘削したのである。浚渫とはその工事のことを指す。浚渫工事で海底を掘削したのであるから跡には死の窪地が残る。浦安市の埋め立ては浦安市民にとって経済的に大きなプラスだと話してきたが、他方水面下の我々の目の届かないところでは海が死んでいた。その地は、「底質は浮泥等が堆積し、生物は汚濁耐性のある環形動物が優占する状況であ」り（渡部昌治）メタンガスの発生源でもあった（一般社団法人埋立浚渫協会）。市民の幸福な生活は実は浦安市民が一番嫌うであろう水の犠牲の上に成り立ってきた。その海底をもとの豊かな海底に戻そうとシーブルー計画が立てられて実行された。国によってその浚渫の再生が図られた[注7]。もしその計画で元通りになれば、海の生物の宝庫が再生されるそうである。

③ 水際線で海に接するために

当初浦安には海や川に囲まれながらも市民が水に接しながらいこえる機会がなかった。こうした水と市民の分離状態を少しでも改善しようとしてきたのが松崎市政であったと言えよう。水との共生こ

(注6) 渡部 昌治「生命の環を紡ぐ東京湾の再生に向けて―東京湾奥地区シーブループロジェクト―」（2022年12月1日確認）
http://www.ktr.mlit.go.jp/ktr_content/content/000062752.pdf#search=%27%E3%82%B7%E3%83%BC%E3%83%96%E3%83%AB%E3%83%BC%E8%A8%88%E7%94%BB%27
(注7) （注1）及び次を参照のこと。
一般社団法人埋立浚渫協会「自然と生物にやさしく、親水性の高い海域環境を創造する「シーブルー事業」」
https://www.umeshunkyo.or.jp/211/266/index.html
シーブルー計画によっての回復策

そ浦安の原点である。その原点回帰が図られようとした。松崎市政では4方（正確には3方）で市民が水に接するために，水際線の整備が進められた。

　松崎市政の間に，海に接する公園の整備として総合公園の創設，三番瀬の開放，舞浜2丁目旧江戸川の河川公園整備，境川河川の大規模整備，見明川の整備など市民が水に触れられるようになった。筆者が1995年（平成7年）浦安市に引っ越してきたころには，前述のように橋の上から川を眺め，護岸に登って海を見るしかなかった。その近くて遠かった水に市民が接することができるようになった。「水の町浦安」を取り戻したのである。参考文献の浦安市（2010）では水際線整備の様子が掲載されている。もちろん積み残しはあるが，水際線を市民の要望にかなうように整備するのは簡単なことではない。浦安にビーチを造ろうという，新たな夢も市民の間から出ている。（安全のために熊川市政が造った）護岸に囲まれた浦安で，水と市民が接することができるようにしたのは，松崎市政の功績であると言えよう。

④ 郷土資料館

　松崎市長の1期目の公約が「無駄な公共事業をやめる」であり，その一つが郷土資料館の建設であった。現在郷土資料館が存在する。松崎市長は公約を破ったのか？初当選後中止を進めようとしたが，議会の反発で結局建設せざるを得なかったという事情があった[注8]。結局郷土資料館は開館する運びとなった。

　では，なぜ郷土資料館が松崎市長の功績なのか。反対の立場だっ

(注8) "市民検討委で意見聞く 郷土博転用めぐり答弁 市議会 浦安市長". 千葉日報（千葉日報社）: p. 16.（1998年12月15日）

　　"議会が特別委設置へ 1議員除き発議署名 郷土博転用問題 浦安". 千葉日報（千葉日報社）: p. 16.（1998年12月22日）

たといえども，できてしまったらそれをうまく活用した。この郷土
資料館の存在は，その後に生まれてきた子どもたちの教育やその後
の新しい住民の社会教育に大いに役立った。本書を書くにあたって
も，前田智幸氏の諸々の資料に頼るところが大きく，浦安の歴史を
たどるのは難しかった。そのわかりにくい歴史を見える化したのが
郷土資料館であった。昔の街並。どこの地域にもあるかもしれない
が，浦安の家の実物が配置されている。活用の仕方の成功で今や浦
安に欠かせない歴史の宝庫となっている。郷土資料館に行けば昔の
浦安に会える。

　郷土文化，産業文化の存在は地域経済にとってプラスの役割を果
たす。文化にはお金がかかるからである。ということは，浦安の文
化の伝承はこれまで浦安の人たちが経済効果を生んできたものであ
り，そしてこれからも生むものである。文化の象徴を構築して維持
することは非常に重要である。その浦安の文化が詰め込まれたのが
郷土資料館である。

　郷土資料館で産業文化として重視されているのはやはり漁業であ
る。投網船で浦安をめぐる試みが行われている。千葉県の佐原市や
佐賀県の柳川市のように，街を船で巡ると，同じ町なのに全く視点
が異なって違う町にいるように思えてくる。まさに，浦安を水の面
から眺めさせてくれる境川は浦安の水郷にあたる。郷土資料館は境
川に船を浮かべこれを実践している。日ごろとは別方向から眺める
ことにより浦安を再発見できる。

"市議会が特別委を設置 郷土博転用の市長提案追及 統一選前の3月に結論へ 浦安".
千葉日報（千葉日報社）: p. 16.（1998年12月26日）
"郷土博，来月1日に開館 計画より1年遅れ 今後の運営に注目 浦安". 千葉日報（千
葉日報社）: p. 16.（2001年3月20日）

⑤ 浮島（メガフロート）が導入できなかったこと[注9] ―少し残念―

　松崎氏の1期目の就任直後，メガフロートが譲渡されるかもしれないという話があった。メガフロートとは鉄鋼でできた巨大人工浮島のことである。鉄鋼でできた枠組みの中が空洞の直方体のブロックを並べた島であった。子どものおもちゃのように組み合わせて長方形化させて（あるいは他の形。自由）海に浮かべるというものである。長ければ海上の飛行場にもなりうる。実際全長1キロで建設されたメガフロートは，1995年（平成7年）から横須賀沖で中型航空機の滑走路の実験に使われた。日本では空港を作るといっても陸地にその余地が少ないため，海上空港の建設になりがちである。だが，埋め立てで海上空港を造ると海の環境を破壊するし，建設後に地盤沈下が起こりその対策とのイタチごっこになる可能性がある。海上に浮いているメガフロートならばこうした問題が起こらない。画期的な実験であった。

　横須賀沖での実験終了後，このメガフロートを切り離して譲渡する方向になった。浦安市がこのメガフロートの一部を浦安沖に移転させることに前向きになったことがあった。前述の松崎市政1期目のことである。市民が憩える海釣り公園として，そして空洞の中には防災備品を備える備蓄倉庫として役立つ可能性があった。四方が水に囲まれながら当時水に接することができなかった浦安市民にとっては水に接することができる画期的なアイデアであった。それ以前に繰り返されていたテトラポットの上での違法な釣りもなくなる。海釣り公園になればまさに海にいつでも接することができる場所となり，浚渫で一度死んだ海がまた市民のために生き返って戻っ

（注9）「メガフロート―浦安市と松崎ひできの18年のあゆみ」
　　　https://urayasu-18years.net/1999/09/01/%e3%83%a1%e3%82%ac%e3%83%95%e3%83%ad%e3%83%bc%e3%83%88/

てくる。有用なインフラとしての役割を果たしてくれるはずだった。水に囲まれながらもそこに接する機会のなかった浦安市民が海に接することができる有力な一つの方法になったはずだった。また，後の2011年（平成23年）の東日本大震災で浦安が液状化現象で大きな被害を受けたが，浦安は災害の起こる町として認識し，災害備蓄品を蓄えておく必要があった。船でその備蓄品を被災地他地域に運べるという利点もあった。しかし，議会などの反対で立ち消えた。松崎市政の考え方が世間よりも1歩先に行き過ぎたのが理由か。残念な事実であった。

　いまは，一部は福島第1原発の汚水貯蔵に使われてもいるが，一部は今でも兵庫県南あわじ市でメガフロート海づり公園(注10)として市民に活用されている。なによりである。

4）2011年の東日本大震災からの復興

　2011年（平成23年）3月11日の東日本大震災で東北地方沿岸都市が大津波に飲み込まれて大きな被害を受ける一方，埋め立て地の浦安は液状化という，大被害を受けた(注11)。地面からは水が噴き出し，新しい埋め立て地の多くの建設物が傾いた。市民が住む家々は微妙に傾き，中にいると気持ち悪くなるという人が続出した。大震災直後は停電も発生し，多くの市民が往生した。道路などのインフ

（注10）南あわじ市HP
　　https://www.city.minamiawaji.hyogo.jp/soshiki/suisan/umidurikouen-mega.html
（注11）浦安だけでなく，東京湾沿岸の浦安市から千葉市にかけての埋め立て地帯において液状化現象が発生した。内陸でも一部液状化が発生した。若松加寿江（2012）によれば，東北地方の6県および関東地方の1都6県の合計160の市区町村でこの被害が見られたそうである。
　　若松加寿江（2012）「2011年東北地方太平洋沖地震による地盤の再液状化」日本地震工学会論文集第12巻第5号．pp.69-88

ラも崩壊し，交通もままならない状態になった。

　時間はかかったが，松崎市政でこの復興にほぼ道筋を付けられた。市内の崩壊したインフラのほとんどが修復，再整備された。一部道路の段差が取り残されたが，その作り直しも松崎市政後の内田市政でさっさとなされた。

　松崎市政で成功したのは市民との協働があったからである。各自治会に有志の会が出来上がり，その地区の復旧をリードした。それらはチームと称し，各地域の復興に尽力した。浦安の市民力はもともと強いといわれていたが，震災時にはその力が大いに発揮された。それらの団体は横の連絡も取り合いながら復興を助け合った。市民パワーもさることながら，こうした市民の復興活動を松崎市政が後押しをし，復興が着実に進んでいった。

　松崎市政は復興に尽力し，東日本大震災後数年間で街はほぼよみがえった(注12)。しかし，復興には難しい点もあった。次回の大震災に対しての備えで，液状化を防ぐための地盤改良工事まで至らなかったことである。東日本大震災の際，東京ディズニーリゾートでは駐車場については大きな被害があったものの，テーマパーク内については被害が限られていた。スタッフ移動の地下道を張り巡らせるために，事前に地盤の強化が行われていたからに他ならなかった。事前のインフラの強化が最大の防御であることを証明した。市民経済地域でも同じことが言えるはずだ。だが，中町一部地区（舞浜3丁目など）での液状化対策工事の段取りが進んだものの，途中で松崎市長の引退により頓挫してしまった。各町内に自主防災組織の整備や，備蓄倉庫などの震災への備えを万全にした松崎市政ではあったが，やり残したことの一つと言えばこの点であろう。

―――――――――――

(注12) ただし，市道や住宅街道路などでは再整備に相当年数がたったところもあった。

5) 今後の整理

　もちろん，経済学的に残念なこともあった。松崎市政が実現を目指したけれどそうはならなかった点である。新たな発案の路面電車が通らなかったこと，羽田空港や横浜との船の航路ができなかったこと，臨海副都心線の新浦安までの延伸がなされなかったことなどである。東西線と新町のやなぎ通りを通そうとした路面電車については後述するが断念したことは確かである。臨海副都心線は話が途中で止まったままである。失敗を羅列したのではない。多くのことにトライしようと努力したからに他ならない。世の中，チャレンジしたものがすべて実現するわけではない。その中の一部が実現できれば万々歳である。これらは松崎市政が果敢にチャレンジした結果であり，制度や技術の壁が乗り越えられる今後に実現を期待したい。

4.　結び

　熊川町政・市政，松崎市政の間に現代と将来の浦安の基盤が築かれた。テーマパーク，製造業，市民経済の3つの経済から成る構造は今後数十年は変わることはないであろう。あるいは100年後も同じ構造であるかもしれない。

　これを実現させたのは，埋め立て地の有効な活用を実現させたこと，そしてそこに通じる交通網を整備させたことだといえる。地方で高速道路のインターチェンジのそばに工業団地が誘致されているが，浦安ではその便利なロジスティクスの構造が作り上げられている。もちろん，臨海線の新浦安への延長などの積み残しの課題はあるものの，こうした鉄道の延伸，羽田空港との直通の鉄道の開通，航路の開設などは今後の夢として取っておいてもよい。今の交通網の状態でも数十年間通用するからである。

二人の市長の活躍で，浦安のハード面・ソフト面での基盤は作られた。それに対しての人の配置もうまくなされた。だが，ハードと違い，人はどんどん変化していく。現在でも中町地区では高齢化が進んでいる。テーマパークを訪れる人も，当初は日本人がほとんどであったが，インバウンドで海外から訪れる観光客も大幅に増加した。人の変化は目覚ましい。この人の変化に応じてのソフト面での変化も充実させていかなければならない。市民への対応，市外の人への対応をうまくこなしてこそ市民のためになる。人の変化を念頭に置いての柔軟な政策が今後重要となろう。

参考文献

2. 4) の参考

「浦安市史　まちづくり編」浦安市　1999年

「非核平和都市宣言」浦安市HP（2021年11月9日確認）

　　https://www.city.urayasu.lg.jp/shisei/profile/profile/1000018.html

「被爆体験の朗読劇，動画に　「次世代に伝えたい」浦安」朝日新聞2020年

　　10月16日（2021年11月10日確認）

　　https://www.asahi.com/articles/ASNBH7QVQNB9UDCB012.html

3. 3)②の参考

浦安市（2010年）「浦安市水際線の望ましい整備・活用に向けて」

　　https://www.city.urayasu.lg.jp/_res/projects/default_project/_

　　page_/001/002/412/mizugiwasenn.pdf

3の全体を通しての参考

「浦安市と松崎ひできの18年のあゆみ」（2021年8月25日確認）

　　https://urayasu-18years.net/

西脇いね（2013）「浦安のかあちゃん農家」エリート情報社

第2章 浦安の歴史[注13]

水野　勝之

（明治大学商学部教授）

1. はじめに

　坂道がほとんどなく，広い平面の土地がくまなく近代化され，平和そのものの雰囲気を醸し出している。その中でも多くの観光客を集客することから，浦安と言えばいまや東京ディズニーリゾートの町というイメージになっている。

　前述のように，浦安は東京湾の最深部に位置し，海に面した土地であったことから，浦安の産業や市民生活にとって水とは切っても切れない関係にあった。その水を活かした昔からの主産業は漁業であり，漁業権を放棄した後も釣り船や屋形船の観光基地になっている。

　本章では，浦安経済の現在までの歩みを，他の章で扱う漁業を除いた経済史としてまとめてみた。浦安のかつての産業と言えば漁業のみが浮かぶが，実は浦安では農業や商業も地道に営まれていた。本章では，その農業，商業，そして市民生活と経済などをテーマとして，浦安の経済の歴史をたどった。

（注13）本章は浦安町誌（上）（下）を参考にしている。

2. 中世・近世（浦安町誌（上）pp.3-4 他）

　1157年（保元2年）に浦安に部落が形成されていたという記録があるものの，かつての浦安は，東京湾に突出した低地帯であり，人口も少なく，特筆すべき内容が不足していた。当時は後に大市場となる江戸も存在せず，魚を獲ったり塩を焼いたり，そして田畑を耕したりという，分業制度のない前近代的な経済生活を営んでいたという。浦安の発展を妨げた大きな要因の一つは，もちろん近くに大きな都市がなかったことに加えて自然災害による被害が大きかったことである。後述するように，長い歴史の間に複数の大津波が襲ってきたという。津波のたびに大規模な被害が発生し，浦安に住んでいた住民たちは離散し，決して大きな町に成長することがなかった。特に，1293年（永仁元年）相模湾を震源とした地震に伴う大津波の被害は甚大であったという。その大津波で浦安の神社，仏閣，民家の大半が押し流されてしまった。浦安地域の地名の一つとなっている猫実の名前は，こうした津波がその地域にあった木の根を越さなかったということから名づけられた。それだけ津波は浦安にとって脅威であった。幾たびか発生した大規模な津波が浦安の発展を妨げていたのである。

　中世の荘園時代，当初浦安は葛西荘（葛西の荘園）に属していたが，のちに八幡荘（八幡の荘園）に所属が移った。1590年に徳川家康が江戸に移ってから江戸時代を通して浦安は幕府が直接治める直轄地「行徳府」となった。江戸時代当時，浦安の地には堀江村，猫実村，当代島村の3つの村が存在した（以下総称として（引き続き）浦安と呼ぶ。）。江戸時代，いくつかの地の利から浦安が次第に発展していった。地理的に浦安は，資源豊富な海に面し，かつ大消費地

江戸までの距離が近い。また，江戸の町には水路がめぐらされていたので，船を運搬の手段として使える浦安は江戸の町に新鮮な魚介類を届けられる有利な立地であった。かくして江戸の町の水運構造を活用したロジスティクス（物流）が浦安の経済を支えることとなった。獲れた魚介を船で運んで江戸で販売することにより，浦安の経済の確たる産業土台が出来上がったのである。そのおかげで，江戸時代になってようやく浦安の人口が増え始めた。人が多く住むようになると，その人たちを受け入れられるよう，浦安地域（堀江村，猫実村，当代島村）のインフラの整備が必要となる。これまで津波など水の被害に悩まされてきたことから堤防が整備されるようになった。また，多くの人の生活を支えるため各種産業が芽吹いてきた。漁業にだけ頼るのではなく，海辺の萱の茂みを切り拓き，田んぼが作られた。漁業，農業という浦安の産業の基礎がつくられた。

　江戸時代に経済社会としての体裁を整えた浦安は，明治維新後，小菅県，印旛県などの管轄下を経て 1873 年（明治6年）に千葉県管轄下に入った。1878 年（明治11年）時，浦安は，東葛飾郡堀江村，猫実村，当代島村から構成されていた。

　明治時代になって浦安はそのまま近代化が進んだかと言えばそうではなかった。水害だけでなく度重なる大火にも襲われた。まず 1880 年（明治13年）に堀江村と猫実村の大火（650戸以上を焼失）が発生した。2年後の 1882 年（明治15年），再度の大火（460戸以上を焼失）に見舞われた。これらの火事での消失の被害は大きく，十数年かけてようやく町が復興したという。当時の火事は地域社会全体の強敵という位置づけであった。

　町村制が施行され，1889 年（明治22年）に堀江村，猫実村，当代島村が合併し浦安村が誕生した。村長については，町村会（議会にあたる）で選出して府県知事に申請し認可を受けるという制度と

なっていた。この制度で最初に浦安村長に就任したのが新井甚左衛門であった。新井村長の下，浦安村の役職として助役1名，収入役1名，書記7名が置かれた。浦安誕生時の浦安村の総戸数は1,040戸，総人口は5,946人であったが，浦安村創設以降の人口の伸びは順調で，1909年（明治42年）には総戸数1,580戸，総人口8,475人と成長を続けた。同年浦安村は浦安町と改称された。浦安町の誕生である。浦安町は明治時代に成立したことになる。

今は当然のように使われている「浦安」という地名であるが，浦安の名称のいわれに2説ある。第1の説は，浦安のメインの産業が漁業であったことから，「漁浦の安泰を祈願する」という意味で新井甚左衛門村長によって「浦安」と名付けられたというものである。浦安市HPによると[注14]，「初代村長の新井甚左衛門が，「浦（海）安かれ」と願いを込めて名付けたとされている。第2の説は，「浦安」が「心安らぐ国。平安な国。転じて，大和国または日本国の異称」（コトバンク：精選版 日本国語大辞典）という意味合いであることから，日本の国自体の名称を利用して同じ名前で名づけられたというものである。結局，第1説，第2説のいずれかというよりも，浦安HPに両記されているように，両方を織り交ぜて名付けられたと解釈するのが妥当であろう。総ずると，「浦安」の意味は平和を尊重することと解釈できる。

（注14）「「浦安」の名を守っていく」浦安市HP
https://www.city.urayasu.lg.jp/1018626/1020611/1025610.html

3. 行政，政治の成り立ち

1）役場（浦安町誌（上）pp.5-11）

　1889年（明治22年）浦安村が誕生した時の村役場は，猫実160番地の一民家であった。新たな役場を買い取る資金がなかったため民家を借りて行政を行うこととなった。2階建てではなく1階建ての平屋であったが，窓にはちゃんとガラス障子がはめ込まれていて特徴的な建物であった。そこで行政がなされた。1895年（明治28年）に，旧堀江小学校の校舎跡の建物（敷地面積184坪，建物の面積33坪。小学校としての使用前は年貢米を入れる倉庫であった。）に役場が移転した。そこが新役場となった。だが，1907年（明治40年）に浦安村にコレラが流行り，その患者を収容する建物が足りなくなったため，その役場の建物が患者収容に使われた。行政が機能しなくなるので，同じく堀江にある民家を家賃8万円で借りて役場としての行政を行った。こうした不便を経てようやく専用の役場の建物が建てられ竣工したのは1911年（大正元年）になってからのことである。新しい役場の建物は銅板葺平家建和洋折衷づくり[注15]だったという。当時の役場の組織は庶務係と出納係の2つだけだった。後者の出納係が会計や営繕を担当し，そしてそれ以外のすべての仕事を庶務係が担当した。

2）浦安村会（浦安町誌（上）pp.11-14）

　1880年（明治13年）の区町村会法制定により全国に町村会が置かれるようになったので，浦安でも堀江村，猫実村，当代島村のそ

（注15）「葦平家建」は「平屋建」のことである。

れぞれにも村会（村議会にあたる）が置かれた。だが，実際の業務は首長にあたる各戸長が行っていた。浦安では，浦安村が誕生した1889年（4月22日）に初めて村会議員の選挙が行われた。その選挙の結果を踏まえて，第1回目の村会は1889年5月8日に開会された。その時の村会の定員は18名であった。（第1回村会の議案第1号は助役条例であったという。）

　当時の日本では最初の選挙で投票できた投票者は限られていた。浦安でも第1回目村会議員選挙で投票できた者は前年度直接村税を納税した人たちだけであった（浦安町誌記載）。日本の民主主義が進化するとともに，この条件は次第に緩和されていった。1912年（大正2年）には「2年以上その町村の直接町村税を納めるものはすべて」選挙権を有するようになった。1925年（大正15年）には，納税要件が撤廃された。同時に級別議員の制度も消滅した[注16]。この年に町会の定期改選が行われた浦安でも，それ以降この新しい原則での選挙が行われた。前述の村会の定員18名は1921年（大正10年）5月の改選時まで続き，1925年（大正14年）の選挙時から議員定数が24名に増えた。こうした公正（？）な選挙も1942年（昭和17年）の第2次世界大戦時には，翼賛議員推薦委員会の下，同会が推薦した候補を議員として選出するよう有権者に働きかけ，選挙も公正とはいいがたくなった。この時選出された議員を「翼賛議員」と呼んだ。

（注16）1889年（明治22年）に施行された市町村制に基づく各村の議員の選挙における級別議員については東郷町のHPに次の記載がある。「町村の議員選挙では，2級選挙制が採られた。すなわち，選挙人のうち，納税額が多い者から順に総選挙人の納税総額の半分以上にあたる者を1級とし，残りの者をすべて2級とした。その上で，級別に同数の議員を選んだ」。

4. 生活

1）町民性（浦安町誌（上）p.35）

　浦安の町民性は浦安の経済と関連している。浦安の主要産業は漁業であった。漁業自体は生産面，消費面で安定しているので好不況の景気にあまり影響を受けない。したがって，大金持ちになることもないが，かといって仕事がなくなり困窮することもない。その日その日で容易に仕事が見つかるのでいつでも収入が入る。よって，「宵越しの金は持たない」風習となり，町民は飲酒，飲食に興じる傾向があったという。

　言葉は粗野であるが，人情味に厚く，近所づきあいを大切にし，他人の難儀を見て進んでそれをサポートする。まさに映画に出てくるような人たちである。山田洋二監督のフーテンの寅さんか。

　その言葉遣いについては，学校の先生たちもたいへん苦労したようである。明治，大正，昭和初期まで，「漁師町は言葉が粗い」と言われていた。浦安もその例外ではなかった。大人の言葉が粗暴で，方言，訛が含まれるため，子どもたちの言葉の日本語の文法が正確になりえなかった。新任の先生や授業参観に初めて参加した人は言葉遣いの粗さと不正確さに驚かされたという。尋常小学校1年生や2年生の担任に新任教員が就いた場合，先生は子どもたちの話す言葉を理解することができず，授業を進めることができなかったという。これは大げさに述べているのではなく，事実であったようだ。そのため，浦安の子どもたちに国語を教えることは難事業であった。だが，そのまま放っておくというわけにはいかないため，国語の先生は，浦安の子どもたちの言葉を正確に直そうとするのではなく，まず先生自らが浦安の方言や訛を習得して子どもたちの言っ

ていることを理解するとようにしなければならなかった。授業では子どもたちと同じ土俵に立った上で正確な日本語に矯正していくという工夫がなされた。さすがに「浦安町誌」の書かれている1969年（昭和44年）ころになると，国語教育が整備され，かつてのような悪語が無くなっていたという。

2) 戦後の町民の生活

　次に第2次大戦後の浦安の人たちの生活について触れよう。

① 娯楽（浦安町誌（下）pp.360-361）

　当時の浦安の人たちはどのような娯楽を楽しんでいたのであろうか。終戦後の娯楽としてまず第1に挙げられるのは映画である。堀江の現フラワー通り商店街にあった浦安映画館が浦安の唯一の映画館であった。第2次大戦終戦直後だけあって，そこで上映される映画は，粗末な内容のものばかりであったようだが，浦安の映画館では唯一の存在であり，貴重な娯楽の施設であった。1955年（昭和30年）にその浦安映画館は浦安シネマと改称された。同年，猫実に新しい映画館として浦安映画劇場が開館した。いずれも浦安の人たちを最も楽しませる娯楽の施設となった。ただ，昭和30年代以降次第に各家庭にテレビが普及しだした（開始は1953年（昭和28年）のNHK。1955年になるとプロレス中継も開始された。）^(注17)。その普及とともに，庶民に親しまれてきた映画は次第に斜陽産業化していく。閉館に追い込まれた映画館も多かった。浦安シネマも浦安映画劇場も現存しないのは読者の皆さんもご存じのところであろう。

　娯楽の第2はパチンコである。終戦直後は存在しなかったが，

（注17）1959年になるとテレビの民放が4局になり，スポーツ，ドラマ，クイズなども放映された。

1949年（昭和24年）秋パチンコが名古屋で開始され（風俗営業第1号店として許可されたのは1950年），それが全国に急速に広まった。その広がる速度は速く，瞬く間に日本全国にパチンコ店が誕生した。1950年（昭和25年）に浦安町でも野田屋パチンコが開業した。パチンコは庶民の射幸心をそそるものであり，浦安で大人気となった。その後他にも浦安にパチンコ店が開業し，1974年時点で5店舗が浦安町に存在した。現時点（2022年）でも浦安に4店舗存在することからパチンコ人気の根強さが分かる。

　第3に，昭和40年代から流行り出したのがボーリングである。浦安も他聞に漏れずボーリングブームで沸いた。1960年代に火が付き，浦安でも1969年（昭和44年）にパールレーンが開業し，その後ウェスタンレーン，中央ボールが続いて開業した。いずれも多くの客で盛況であったとのことである。ただし，ボーリングブームも永久に続いたわけではなく，1974年（昭和49年）ごろには浦安でもブームが落ち着いてきたようだ。ブーム中は黙っていてもお客が来ていたボーリング場もゲーム代を値下げしてお客の確保の努力をしなければならなくなった。残念ながら2006年（平成18年）にウェスタンレーンが閉鎖されて以降，浦安ではボーリング場が姿を消してしまった。

　第4に，昭和40年代にもう一つブームになったスポーツにゴルフがあった。健康志向にもマッチしブームに火が付いた。だが，庶民にとって家から離れたゴルフ場に通うのは高嶺の花。自家用車で行くにはそれを保有していなければならなかった。そこで，近郊にゴルフ練習場が登場してきた。浦安にも1971年（昭和46年）に浦安ゴルフセンターが開業，翌1972年（昭和47年）にはサンゴルフが開業した。浦安市民（正確には浦安町民）のゴルフ熱の受け皿になった。

第5の娯楽は飲食である。交通が不便な時は飲食店の数も限られ
ていたが，1969年（昭和44年）の地下鉄東西線開通に伴って浦安
駅周辺に飲食店が増加した。居酒屋や喫茶店も開業し繁盛したとい
う。浦安には魚市場もあり，料理に新鮮な魚を活用できた。浦安の
人たちはこうした場所で飲食を楽しめるようになった。娯楽の幅が
広がった。

　このようにたどると，東京から近いこともあり，浦安での娯楽は
日本全体の娯楽ブームと歩調を合わせている。

② 生活様式（浦安町誌（下）pp.359-360）

　浦安の人たちは決して所得が高いというわけではなかったため，
戦争が終わっても窮乏生活を続けていた。だが，朝鮮戦争を契機に
日本の経済が復興してからは浦安にもその好影響が波及してきた。
浦安の人たちも窮乏生活から脱し，次第に生活様式が変化していっ
た。

a. 食

　従来の浦安の食は漁で獲ってきた魚や貝を「そのまま煮たり焼い
たり」して食べる習慣であった。その簡易な調理法が戦後まで続い
たが，昭和30年代になってからはその習慣に変化が見え始めた。
テレビが普及し，料理番組が放映されると，食材を調理することに
関心がもたれ，浦安でも複数の料理教室が開催され，そこに主婦が
通うようになった。インスタント食品も出回り始め，家庭にも普及
した。また若者の嗜好はコメからパン食に，魚から肉に変わった。
その結果，浦安の人たちの食習慣も大きく変わった。

b. 衣料

　浦安の場合，戦前男女とも洋服を着るという習慣がなかったとい
う。では何を着ていたかというと，和服である。浦安では男女とも
洋服ではなく和服を着て生活をしていた。そして戦時中には，男性

は軍服に似た作業着か国民服を身に付け，女性は着物とモンペ姿で過ごしていた。戦後衣料は一時配給制になったが，その配給切符が1950年（昭和25年）に廃止され，自由に衣服を購入できるようになった。次第に生地もナイロン，テトロン，ビニロンなどが登場し，浦安でもほとんどの人が和服から洋服へと変わっていった。その洋服も時とともに多種多様になった。それ以前は服装で明確だった貧富の差が，皆が洋服を着るようになるとその差が浮き出ないようになったという。洋服の一つの効用である。

c. 燃料

　燃料も戦前から高度成長期に変化したのは当たり前と言えば当たり前だが，念のため記しておく。戦後間もないころまで，浦安では炊事や暖房に，薪，炭，練炭を使っていた。1950年（昭和25年）ごろになると浦安の家庭に石油コンロが普及した。その10年後の1961年（昭和36年）から1962年（昭和37年）頃にはプロパンガスとなり，また炊事も電気釜が活用されるようになった。

d. 住居

　1967年（昭和42年）漁業権を一部放棄した浦安では，その年，および翌年に空前の建築ブームが起きた。補償金による住宅建設ブームである。次々に新様式の家屋が建設された。それ以前の住宅では台所が狭く，汲み取り式の便所であった。その間取りが大きく変わったという。台所が広くなり，各戸に風呂が設置され，トイレも水洗式となった。構造も通風や採光が考慮された。その家の中には，電気冷蔵庫，電気洗濯機，テレビなどの3種の神器をはじめとした電化製品が備えられ，生活が快適化した。その他さまざまな耐久消費財が整って行った。このころから個人の家への自動車の普及も始まった。

e. 水

　1935年（昭和10年）以前，浦安市民の生活用水は境川の水であった。境川から各家庭が取水し自宅の水がめに水を貯めて飲料水として使っていたという。飲料水に使ったり子どもたちが泳いだりできるほどの水質であったとはいえ，境川あるいはその上流で洗濯を行ったり，汚物を流したりしていたため，決して清潔な水だとは言えなかった。伝染病が浦安中に広がることもあったという。

　そこで1936年（昭和11年）浦安は千葉県営水道栗山浄水場から上水が提供されることになった。これは他の町村に先駆けての提供であった。今のように個々の住宅で水道を引くのは無理だったので，皆で共同の蛇口を共用したという。上水が普及するスピードは遅く，1970年（昭和45年）時点で町全体の（面積の）60％の普及率に過ぎなかった。1973年（昭和48年）時点で，町の人口一人1日当たり230リットルの上水を使用するようになり，このころようやく標準水量よりも高い水の使用量になっていたという。

③ 縁日（浦安町誌（上）pp.141-142）

　明治の頃から1935年（昭和10年）前後まで地元の人たちは，娯楽の一つとして地元で開催される縁日を楽しんだ。東学寺の薬師如来の縁日が毎月8日と12日，庚申堂の縁日が毎月25日，善福寺の山倉大六天王様の縁日が毎月18日にあった。縁日は夕方から夜にかけて開かれるが，大人も子どももその日は昼間からその日開催される縁日を楽しみにしていた。浦安の人だけではなく，葛西や行徳など近隣地区からも大勢の人がこれらの縁日に訪れたという。

　東学寺の縁日には各地から露天商が集まった。その数は多く，境内に入りきれないお店は現フラワー通り沿いに数百メートルにわたって並んだという。もちろん境内だけでなく現フラワー通りも人でごった返した。そこで一番広く場所をとっていたのは一律五銭で商

品が何でも買えるお店であった。今の100円ショップのような存在である。「ちょうちょう買いな」と言いながらお客を集めたという。また，梅林堂という飴屋が出店していた。「さあさ買いなんせ，買い遅れのないように，東京出張梅林堂，青森県ではリンゴ入り」など，産地とフルーツ名を織り交ぜながら「調子のよい節回しで」唄を歌ったとのことである。大太刀を振り回しながら切傷用の薬（？）を売る油屋もいた。それ以外にも，「矢印が指定したところに止まると『どっこいどっこい』（という）名物のおでん屋，いりたてまめ屋，風船をふくらませるとぴーと音がする風船屋，鉄片であめを切りながら売るたん切りあめ屋，うまそうなちょこちょこ饅頭屋，器用なあめ細工屋，しんこ細工屋，詰将棋屋」などが出店していた。「綿あめ，古道具，古本，古着，玩具」（浦安町誌引用，一部改変）を売るお店もあった。買い食いをしながら遊ぶ子どもたちに加えて大人も十分楽しめる内容であった。前述のように，縁日の日には大人も昼間からワクワクしていたはずである。

　明治時代の露店は灯りとしてランプを使っていた。大正になってからはアセチレンガスを使うカーバライト（別名アセチレンライトとも呼ばれる）が主流になった。カーバライトがこうこうと光る下でにぎやかな縁日が行われたという。

　最後に残念な事実。こんなににぎわっていたにもかかわらず，1935年（昭和10年）ごろから次第に縁日はすたれてしまった。1937年（昭和12年）の日中戦争開始とともにほとんど姿を消してしまったとのことである。

5. 教育 (浦安町誌 (上) pp.43-59)

1) 寺子屋

　江戸時代の教育については，幕府や各藩が学校を設けていたが，一般庶民はそこには通えなかった。庶民は寺子屋に通った。寺子屋とは，寺の住職や村の有力者が地域の子どもたちを集めて「読み，書き，そろばん」を教える場所（今でいえば教室）であった。指導者は手習師匠とも呼ばれた。浦安には，宝城院の寺子屋，小坂の手習師匠，清田の手習師匠，勘家の手習師匠の4つの寺子屋が存在した。

　子どもたちは6～7歳になると，机，硯，紙などを持って両親と寺子屋に入門する。その際贈り物も必要だそうである。寺子屋の経費は，子どもたちからの授業料に加え，親から差し入れられた贈り物でまかなわれていた。通常経費以外に，畳替えの費用，暖房のための炭の費用なども徴収された。盆暮れなどには保護者から贈り物（コメ1～2升，銭百文あるいは2百文）を受け取る習慣があった。修業年限は今のように6，3，3制のようには決まっていなかった。決められたカリキュラムがないため，机の前で漫然と時を過ごす生徒もいたようである。草書を水で濡らしていかにも勉強してきたかのように，親の目をごまかしていた子どもたちもいたという。

　寺子屋は寺院の一部を教場とした。生徒の数は通常30から40人であった。多い時には60～70人，少ない時には10人前後ということもあったという。そこに通う子どもたち，つまり生徒を筆子と呼んだ。寺子屋では師匠の住職から師弟たちが前述の「読み，書き，そろばん」を教わる。

　寺子屋で教えた内容をより詳細に記せば，「読書，習字，算術，

そろばん」となる。読書の教科書は，書簡形式の「いろは，カタカナ，干支，名頭，村尽くし，商売往来，消息往来，庭訓往来」[注18]が活用された。最も活用されたのが，平安末期から江戸時代まで使われた「実語教」であった。これは学問と道徳的実践を内容にしたものである。もう一つ良く活用された教材が，「童児教」であった。これは漢文調の教科書である。女子に対しては，「百人一首，女今川，女庭訓，女大学」などを教えた。これらの教材は良妻賢母主義教育の聖典であり，江戸中期以降の教科書として活用された。算術の授業については，そろばんを使って教えられた。「八算，見の算，相馬割り，差し分け，利息算，求積」などがその内容であった。

　だが，寺子屋はこうした教養を教えるだけではなかった。しつけにも厳しかった。浦安町誌（上）には「非常に厳しく」とある。不行き届きがあろうものなら，師匠は鉄扇で子どもをたたいたという。それ以外にも，茶碗に水を入れて持たせたり線香に火をつけて持たせて長い時間立たせたりした。これらは今でいう体罰に他ならないが，かつてはしつけとして通っていた。他方，寺子屋の近所に「あやまり役」という人が存在した。暇な時間を持つお年寄りの人がこの役にあたっていた。寺子屋で子どもが非を犯したとき，その子どもに代わって師匠に謝る役であった。もちろん師匠に謝るだけでなく，非を犯した子どもに対しては繰り返すことがないよう厳しく指導した。地域が連携して子どもたちを育てていたことがうかがえる。寺子屋を卒業した者のうち，名主や資産家などの家の子どもたちは「漢字」の塾に通った。より高い教養を身に付けるためである。ただ，江戸時代の庶民の教育の場として機能してきたこうした

（注18）往来の意味（weblio デジタル大辞泉）
　・手紙などのやりとり。また，往復書簡。
　・書簡文の模範文例集。→往来物

寺子屋も，1872年（明治5年）に学制が施行されてから消滅してしまった。

　最後に，浦安で開かれていた，前述の4つの寺子屋，手習師匠についてもう少し詳しく紹介しておこう。

宝城院の寺子屋

　宝城院の寺子屋は堀江に位置した（当時堀江村）。江戸時代の天保，安政年間に宝城院の2代の住職宥海，宥盛が寺子屋を開いた。近所の男女の子どもたちを子弟として集め，読み書きそろばんを教えた。男子には「実語教，童児教，三字教，今川，庭訓往来」を，女子には「女今川，女大学」を教えた。特に女子には「都路」[注19]を教えたという。

小坂の手習師匠

　堀江村にあり，明治維新ごろから1873年（明治6年）の間開かれていた。浦安に住んでいた松平美濃守の家臣小坂義雄が師匠を務めた。彼の場合，今の学習塾と同様，生活のために経営を行っていたという。「四書，五経，左伝，史記，八家文」などを教えた。特に小坂は漢字に長けていたとのことである。

清田の手習師匠

　清田貞助が師匠を務め，堀江村で開設された。鎌ヶ谷村に住んでいた牧師清田は明治維新後浦安に移り住んできて，堀江村の宗右衛門の家を借りて手習師匠を開いた。国学を得意としていた。やはり学制開始直後の1873年（明治6年）に閉鎖された。

勘家の手習師匠

　泉澤惣八が妻の泉澤らくととともに明治維新後改札した手習師匠

（注19）近世の寺子屋用習字手本の一つ。東海道五十三次の各名所を長歌にしたもの。
　　（精選版 日本国語大辞典）

である。夫婦で師匠を務めた。猫実村に位置した。読み書きそろばんを教え，子弟は60名ほどいたという。やはり1873年（明治6年）に閉鎖となった。

2）学制

　西欧の教育に倣うため1872年（明治5年）日本で学制が公布された。寺子屋のように個々で教育を施すのではなく全国で統一した教育を実施するためである。だが当初の制度だと，人口600人当たり1小学校を置くこととされていたため千葉県だけでも約900校の小学校が存在することになった（1877年）。建物も足りない，教師も足りないということで，1小学校に1人の教員という配置で，寺子屋の形態とあまり変わりがないところも多かった。何回かの改革を経て，1886年（明治19年）森有礼文部大臣時に小学校令，中学校令，帝国大学令，師範学校令が公布され教育改革が一段落した。この制度が敗戦までの60年間続くことになった。

　そこでは小学校8年間は尋常小学校4年間，高等小学校4年間の2科に分けられた。ただ，当初後者の高等小学校は一郡に1校（郡役所所在地）と定められていた。その他の町村には，高等小学校ではなく，尋常小学校に温習科（6か月以上12か月以下の在籍）を置くことになった。浦安の小学校として修業期間1年間の温習科が設置されていた。1889年（明治22年），資力が十分な市町村で高等小学校を設置したい自治体は国の許可を得て設置してよいという内容に変わった。その変更後，浦安村の近くでは，行徳町に行徳高等小学校が新設された。その通学区は行徳町，南行徳村，浦安村であった。浦安村の子どもたちも高等小学校の教育を受けられるようになった。ただし，浦安村で高等小学校への進学を希望する子どもはわざわざ行徳まで通わなければならなかった。自転車もない時代であ

ったので，高等小学校に通う子どもたちは毎日徒歩で行徳まで通学していたそうである。

3) 学制後の小学校

　1882年（明治5年）に学制が導入された直後にできた小学校を見てみよう。浦安では堀江小学校，猫実小学校，当代島小学校，江実小学校，昆小学校の5つの小学校が存在した。堀江小学校は1883年（明治6年）大塚亮平が開校した。彼の家を教室として使って授業を行った。開校当時男子教員が3名，生徒は男子38名，女子23名であった。後に堀江の旧郷蔵（江戸時代のコメの倉庫）に移り授業を続けた。猫実小学校は1883年（明治7年）宇田川利助が始めた。開校当初教員は宇田川1名で，生徒は男子49名，女子29名と堀江小学校よりも多かった。当代島小学校は善福寺の住職の影信が開校した（開校年次の記録は残っていない。）。善福寺の本堂を小学校の教室として使った。

　宇田川が興した猫実小学校は1880年（明治13年）の浦安村の大火災によって焼失してしまった。しばらく休校状態であったが，後に堀江小学校と合併し，江実小学校が生まれた。お察しの通り，堀江の江，猫実の実の字を合わせて命名した小学校である。堀江小学校の校舎を利用して開校された。だがこの小学校は一時的なものであり，猫実小学校が再興されると元の通りの堀江小学校と猫実小学校の二つに分かれた。

　最後の昆小学校であるが，1880年（明治13年）昆庫助が私立小学校の認可を得て開校した小学校である。この私立小学校は堀江に設立された。昆小学校の修業年限は3年間と決められていた。教員は昆1名，生徒は男子76名，女子42名であった。昆は片足が不自由であったが教育熱心な人だったようだ。生徒の保護者からは尊敬

されていたという。

浦安尋常高等小学校

1889年（明治22年），堀江，猫実，当代島の3つの小学校が統合され，浦安尋常小学校が誕生した。さぞ立派な小学校ができたのかと思いきや，財政が乏しいという理由で，旧来の3つの小学校に分かれて授業が行われていた。小学校では小試験，大試験と2種類の試験を行うのだが，小試験は3つの各校舎で行われ，大試験のみ堀江校舎に全員を揃えて行われた。読者の気持ちと同様，当時の人たちも3つの校舎が1つの校舎になることを望んでいた。1894年（明治27年）猫実に待望の新校舎が出来上がった。この年から，浦安尋常小学校の教育はこの校舎1か所でなされるようになった。この校舎の建設費について，行政が負担したかと言えばそうではなく，ほぼ村民の寄付で出来上がったという。1894年12月3日が創立記念日となった。現在の浦安小学校の創立記念日である。

この小学校では4年までの教育しかできなかったので尋常高等小学校に通いたい子どもは行徳まで行かなければならなかった。そこで翌年1895年（明治28年）小学校に尋常高等小学校も併設された。尋常小学校と合わせて校名が浦安尋常高等小学校と改名された。1908年（明治41年）尋常科6年（義務教育），高等科2年に改められた。当然校舎が足りなくなる。それまでにも児童数の増加で校舎を建て増ししてきたが，それでも足りず下級生の2部制授業を行ってきていた。義務教育の2年間の延長で校舎の不足はより一層深刻化した。2部制の授業を解消するため，1910年（明治43年）平屋校舎1棟が竣工した。同年運動場を広げる準備も進められた。

その後大正，昭和初期に紆余曲折を経ながら，第2次世界大戦中に浦安尋常高等小学校は一時浦安町国民学校と名称変更された。終戦後の1947年（昭和22年）学制改革によって浦安町立浦安小学校

という現在の名称となった。1967年（昭和42年）南小学校が浦安小学校から分離するまで，浦安町では全浦安じゅうの児童が浦安小学校に通っていた。明治から昭和40年代に至るまで浦安小学校が浦安の小学校教育を支えてきたことになる。現在令和5年（2023年）では，浦安市内に17校の市立小学校が存在する。

浦安中学校

　1947年（昭和22年）学制改革で現在の6-3-3-4制が決められ，義務教育期間が9年間（小学校6年間・中学校3年間）に延長された。その制度の下で中学校の新設が必要になった。よって浦安にも中学校が誕生した。浦安町立浦安中学校である。開学当初は校舎がなく，浦安小学校の校舎の一部を間借りするところから始まった。その後長い間浦安では浦安中学校のみで中学教育が行われたが，人口の増加に伴って，浦安中学校から，1977年（昭和52年）堀江中学校が，1981年（昭和56年）入船中学校が分離した。現在（2023年）では，浦安市内に9校の市立中学校が存在している。

6.　災害

1）津波（高潮）（浦安町誌（上）pp.233-240）

　浦安は3方向を水に囲まれ好環境にある。だが，それが災いすることもある。猫実の名前の由来になった「根を越さぬ」は津波の被害が猫実の一歩手前で終わったこと，つまり猫実には浸水しなかったことを指す。本章の冒頭でも述べたように，浦安でも幾度かの津波の被害を受けてきた。

① 江戸時代までの度重なる津波

　最初に記録に残っている浦安の津波被害は，1293年（永仁元年）の大津波である。「多数の神社，仏閣，民家などが流出し，当代島

村が全滅してしまった」とある（浦安町誌（上）p.233）。室町時代の1555年から1558年（弘治年間）の間にも大津波が発生し堀江村が全滅したという。この時津波で家を失った人々は浦安を離れ，（後日幕府が置かれる）西の方へ転居していった。

江戸時代では，1703年（元禄16年）に地震と津波が同時発生したという記録がある。大地震が起きた上に大津波が襲ってきて浦安で多くの死者を出した。1746年（延享3年）には大暴風雨に伴う津波があり，やはり浦安に甚大な被害をもたらした。

1791年（寛政3年）には8月と9月の短い期間に2度も大暴風雨が襲来した。大津波で堤防が決壊し，堀江，猫実，当代島の3つの村とも一瞬に濁流にのみ込まれてしまった。この時も，堂社や民家が押し流され，多数の老若男女が死亡した。亡くなられた方を弔いながら堀江宝城院では5昼夜続けて加持土砂会が行われた[注20]。そのぶつげを盛った桶の底にこの時の惨状の記録が記されていた。

1856年（安政3年）小雨が数日続いたのち夜半に暴風雨が浦安に襲い掛かり，高潮で堤防が決壊してしまった。浦安全体が水浸しになる事態に陥った。死亡者は1名と記録されているが正確な記録は残っていない。

1861年（万延2年）江戸川と境川に川地震が発生した。水面が激しく波立ち，河岸につないであった漁船同士が激しくぶつかりあったり，あるいはとめていた綱が切れて沖に流されてしまい，漁船に大きな損害がもたらされた。ただし，この時の地震では陸地に全く被害がなかったという。この点では難を逃れたといえよう。

1895年（明治28年）江戸川で洪水が起こり，浦安の堤防を川の

（注20）「清浄な土砂を浄器に入れて，光明真言を唱え，法に従って加持したもの。これを浸した水を病者に与えると病気が治り，また，遺体，墓などに散布すると，死者は一切の罪障を消滅して往生するという。」（コトバンク：精選版 日本国語大辞典）

水が越えようとしていた。浦安の人々が集まって土俵を投げ込んだ。同時に，数百人の人たちが堤防上で膝と膝を接しながら胡坐（あぐら）を組み，水の侵入を防いだ。おかげで川の水が堤防を越えることがなく大きな被害を未然に見事に防いだ。

　その他にも水害は続いた。1911年（明治44年）午前1時に大津波が押し寄せ被害が生じたことも記録されている。その時の損害は全壊3棟，半壊20棟であったという。

② 大正6年の大津波（高潮）

　浦安を見舞った大災害の一つが「大正6年の大津波（高潮）」である。1917年（大正6年）9月，日本列島を台風が襲った。当時は，今のように詳細な天気予報がなく，正確な気象予報がなされていなかった。同年9月24日時点でフィリピン海上で台風が発生し，台湾や沖縄の南海上を通過し，その台風が本土に接近していた。29日には浦安の空が黒雲に覆われ，30日には東風が吹き込み，浦安の天候が荒れ始めた。漁師たちは船が流されないよう，川岸に船を固く結いつけた。30日夕方には台風が東海地方を通り，沼津に上陸した後東京方面に向かった。

　夜中になると浦安でも暴風雨となった。午前2時30分には最大風速43メートルを記録した。家々の屋根瓦は吹き飛び，電線は断線したという。不運なことに，この日は平均潮位が最も高い日（旧暦の十五夜の満月の日）に当たっていた。その2時半ごろ，東京湾最深部にあたる浦安に高潮による津波が押し寄せた。

　「浦安町誌上巻」のp.234をそのまま引用する。「『津波が来たよう』という悲壮な声が，どこからともなく聞こえる間もなく，百雷の轟くような大音響とともに激流が殺到し，家も田も瞬く間に濁流に呑み込まれ去った。濁流は床を洗い，物凄い早さで増水してきたので，人々は天井を破り梁の上にのがれたが，しまいには屋根を突

き破り屋上にとりついた。家屋はばらばらに壊れ，屋根の上にすがりついたまま濁流のなかを流れ出す者，木片につかまり，漂流しながら助けを求める者など悲惨な状況を呈し，住家や海苔製造所の流出するもの数百戸に達した。」

　浦安を襲った台風は，金華山を通り根室沖に去っていった。風がやみ減水した後の浦安の町の様子は悲惨そのものであった。嵐の去った浦安の町内のあちこちに死体が散乱し，壊れた家屋の残骸や山積みの家具の横で人々が放心状態になってたたずんでいたという。

　悲惨な災害の中でも心温まる話もある（上巻p.235）。堀江の長屋に住んでいた人は，住居が低地だとわかっていたので，堤防決壊と同時に8歳の男の子を大きな樽に入れ高い場所に置いたという。彼らの家屋は水に押し流され，残念なことに両親は不明になってしまった。台風が通過したのちに，駐在さんが水に漂っている樽を手繰り寄せたところ，中から男の子の頭がひょっこり出てきたという。かすり傷ひとつなく無事だった。両親のとっさの判断が功を奏した話である。

　浦安町誌には，何人もの先人の名前が登場するが，高い地位にもついていない，庶民の勇者の名前が一人出ている。猫実135番地に住む熊川万吉である。大津波が押し寄せる前に，自分の身の危険を顧みず，「津波が来るぞう」と大声を出しながら町内を駆け回ったそうである。いまの危機管理の評論家に言わせれば「自分を助けるのが一番」と酷評されるような行為であるが，この声を聴いて安全な場所に避難した人も多く，彼によって多くの人たちが救われた。彼の犠牲的行為は多くの町民から感謝されたという。筆者は，危機管理専門家の言う「自分を優先させて逃げろ」というのは場所によって異なるケースバイケースと考えていた。特に浦安の場合，協力し合って逃げることが重要に思われる。それを100年ほど前

に実践した人がいたのである。「熊川万吉」，この名前をぜひ浦安の歴史に刻んでほしい。

　このほかにも，溺れている者を濁流に飛び込み助けようとした者，ベカ舟を出し女性や子どもを避難させた者，水没しそうな屋根を壊し中から住民を助け出した者など多くの無名な勇者たちがいたことを付言しておこう。浦安のケースでの危機管理の原点である。

2）地震（浦安町誌（下）pp.240-243）

① 江戸時代の地震

　日本では大地震がたびたび発生している。江戸時代にも発生し，地盤が軟弱な浦安はそのたびに大きな被害を受けてきた。1854年（嘉永7年）東海地方一帯が大地震に見舞われた。この時浦安でも境川が氾濫し，当時の村内に多くの地割れが生じた。この大地震により多くの家屋や人々が被害を受けたという。

　翌1855年（安政2年）10月2日，関東一帯に大地震が発生した。この時の記録は残っている。浦安ではその地震で花蔵院が倒壊した。家屋も78戸が倒壊し，死者が1名発生した。その大地震後も余震が続き，堀江村宮面の堤防が決壊し，当時の村が水浸しになった。浸水である。また，地割れした田からは土砂が噴き出した。いわゆる液状化である。当時から液状化に見舞われていたのである。浦安の人たちの中には，地震後，家屋が決壊することを恐れて野宿する人や簡単な小屋を建てて住む者もいたという。

　浦安町誌にはこの二つの記録が残されているが，ここでも記述してあるように，地盤の弱さ，堤防の決壊の可能性の高さから，大地震のたびに大きな被害を受けてきたことが推測される。

② 関東大震災

　1923年（大正12年）9月1日伊豆大島北方40キロの相模湾海中

を震源とした大地震が発生した。関東大震災である。11時58分，その激震が訪れた。浦安町内の家屋や土蔵が相次いで倒壊した。地割れもひどく，場合によっては1メートルの幅の地割れも発生した。電線が斬れ，通信も断線された。交通も止まった。町も町民も他の市町村の状況すらまったくわからない状態になってしまった。小学校の校庭では地割れから砂と水がものすごい勢いで噴出した。町民は外に出て戸を敷いてその上にすわり「まんぜいろく，まんぜいろく」と唱えた。「まんぜいろく」を唱えると地震が収まるとの言い伝えからである。心配のあまり町民たちは「まんぜいろく」と唱え地震が収まるのを待つしかなかったのである。

　5分ほどで地震が収まったかに思えたが，余震はその後も断続的に継続した。激しい揺れが続いたため，町民たちは家には入らず，外に居続けた。家が倒れるのを恐れたためである。東京の方では震災に伴う大火災が発生しており，浦安から見る東京の空が3夜の間真っ赤に染まっていたという。

　関東大震災では間一髪助かった話もある。浦安小学校ではこの日は夏休み明けの登校日であった。初日ということもあり，9時に登校し1時間ほどで下校した。その後の関東大震災で浦安小学校の校舎は，正面玄関の校舎以外すべて倒壊したという。もし校舎の中に子どもたちがいたら大惨事になるところであったが，先生も帰った下校後であり，死傷者は一人も出なかったという（日直の先生も無事だった）。この日が2学期の初日ということが幸いした。

　今述べたように，浦安も関東大震災の被害を被った。町内の被害状況が記録されている。全壊が14戸，半壊が14戸であった。死者数が4名，負傷者が4名であった。この数字を見ると，浦安での被害については町民たちの機転もあり，人的には甚大な被害ではなかったといえよう。ただ，関東大震災後10日間ほど海面に油が広が

ったため，浦安近郊の魚介類は死滅してしまった。漁獲済の魚介類
は腐敗し販売できなくなってしまった。海で魚介類が獲れなくなっ
てしまったことから漁師たちの中には魚を仕入れ行商に出かける者
もいた。関東大震災は経済面では浦安に大きな被害をもたらした。

7．総括

　浦安の歴史をたどった。今の浦安が一朝一夕でできたわけではな
い。浦安はハード面においてもソフト面においても徐々に整備され
てきた。教育面においては，明治時代の学制前，浦安にも数か所の
寺子屋があり，そこから次第に教育体制が整えられていったことが
分かった。町の人たちの文化も，他に楽しみが少ない時代は子ども
だけでなく大人も興じるよう発展してきた。全国のブームと呼応す
るように，映画，ボーリングが流行ったことが読み取れた。他方，
こうした浦安の発展も，高波や地震などたびたび自然災害で阻まれ
た。壊されては再建するという手順が繰り返され，人々は浦安で生
活してきた。

　まさに日本が経験してきた歴史が浦安に凝縮されていた。江戸時
代以降，日本の発展に比例しながら浦安が発展したわけでなく，長
い低迷期を経て戦後一気に発展したということが分かる。今となっ
ては市民を海と隔絶させる高い堤防であるが，こうした歴史を見る
と，その堤防の建設こそが浦安の人たちの安心安全を確保し，町の
発展の基礎づくりとなった。いまや元町，中町，新町と半正式に呼
ばれている名称だが，元町の苦労した歴史の上に中町，新町が築か
れたことを忘れてはいけない。元町，中町，新町と並び称されてい
るが，昭和40年代以前の何百年間の浦安の歴史を作ってきたのは
元町の人たちであった。その苦労が今の浦安の土台になった。

浦安に住みながらも，浦安の当たり前の歴史を学ぶ機会はそれほど多くない。市役所，浦安市立図書館，浦安郷土資料館では文献が集められている。本書の場合紙面のスペースが限られていて写真を十分載せられなかったが，そうした資料に掲載されている写真を見ることにより，自分がタイムスリップした気分が味わえるかもしれない。ぜひ過去の浦安にタイムスリップしてほしい。

参考文献

3. 2）参考

「東郷町誌」東郷町HP（2021年11月25日確認）
　https://www.yurihama.jp/town_history2/2hen/4syo/01011500.htm

第3章　日本一が幾つもある街・浦安市!

今泉　浩一

（株式会社明和地所会長）

1. 浦安市の地価が,東京首都圏での値上がり率トップ!

　地価上昇の波が東京都心から周辺に広がっている。2022年の公示地価が東京・神奈川・埼玉・千葉の4都県はプラスに転じ,千葉県は上昇幅を拡大した。新型コロナウイルス禍でテレワークが増えるなど生活が変化して,東京近隣の住宅需要が高まった。

　総務省によれば2021年は東京23区で初めて域外からの転入者を域外への転出者が上回った。都全体の転出者は41万4,734人で前年より約1万300人増えた。転出先で目立つのは近隣県で,特に千葉,神奈川,埼玉の3県で半数超を占めた。その背にはコロナ後の働き方の変化がある。

　国交省によると,テレワークする人の割合は20年度に19.7%と前年度の2倍に高まった。都市未来総合研究所の平山重雄氏は『多くの企業で出社とテレワークを併用する形に落ち着いてきた。今後も東京の外延部の住宅需要は堅調に推移する』と予測する。一方で,都心の住宅人気も以前根強い。

　人の流れの変化は,地価にも反映されている。2022年の公示地価は全国平均で住宅地と商業地がいずれも2年ぶりに上がった。

「公示地価」は，1m²当たりの土地の価格で，一般の土地取引や公共事業用地を取得する際の価格指標となる。千葉県全県では，住宅地が0.7％，商業地が1.2％，工業地が5.3％と上がった。『浦安市高洲3丁目の地価の上昇率が7.7％でトップ』となり，『浦安市の地価が都内や神奈川，埼玉等を含む東京圏の中でも最も高い上昇率』となった（2022年3月23日日経新聞参照）。

　「首都東京圏で一番値上がりしたということは，人が一番住みたいと思った街と言うことだ」と思うので，今後もそのような「人がそこに住みたいと思うような街づくりを官民力を合わせて続けることが大事」であり，そこに住む人間の一人として誇りに思っている。

2. アーバンリゾートと言われる住宅地の快適さ日本一！

① 　『東京首都圏の中で一番地価が7.7％と上昇した浦安市』は，JR新浦安駅から都心まで20分と近い一方，都市住宅公団が海を埋め立てる計画段階から埋立中の土地のほぼ半分を買い受けて，碁盤の目のように巡らした広い歩道がある並木道と，一帯にヤシの木が広がる南国リゾートのような環境のマンション群を建て，その中にイトーヨーカドーやデンキランド，ケーヨーデイツー，大江戸温泉万華郷等の大規模商業施設群を誘致した街が完成した住宅地である。

② 　この住宅地域の東側と南側には東京湾があり，その海岸に面した地域全体には，「海に向かった広〜い芝生広場やキャンプ場，ビオトープ等がある浦安市総合公園」と「境川をはさんで展望台や長い滑り台と広い芝生公園とパークゴルフ場等がある高洲海浜公園」があり，更に，『海側一帯をめぐって走れる緑道と緑地帯』が整備されているので，東京から移住した人の心を和ませる開放

的で魅力的な地域となっている。

③　更に都心のマンション2LDKと比べると20〜30%価格が割安で，それと同じ価格で3LDK〜4LDKの広いマンションが買えるので，都心で働くファミリー層を中心に需要が高まっている。

④　また，浦安市は，東日本大震災以降しばらくは液状化被害のイメージが付きまとって一時期は価格が落ち込んでいたが，コロナ禍以降は液状化対策と被害の復興も進んで以前にも増して東京に隣接する交通の便や買い物の便，学校環境，運動環境，子育て環境などが充実している開放感のある街という印象に変化して，一時価格が落ち込んでいた分購入時に割安感を感じる人が増えて，リモートワーク適地としての評価が高まっている。その為，不動産業者の間では，浦安市は開発が終盤にきて新築マンションが少なくなり，中古マンションをリノベーションした物件も売り物件

参考①　日本経済新聞　2022年3月23日

が出ればすぐに売れてしまう状態なので，来店のお客様の多さに比べて案内できる売物件が少なく，まだまだマンション価格は値上がりしていくことになる，と予測している。

3. 小中学校と幼稚園の施設整備度・教育環境の充実度で日本一！

　浦安市の小学校と幼稚園・子供園は居住地から1,000m以内に公立校があり，中学校は小学校2校に対して1校が配置されていて，その近くには共稼ぎの児童のための公立の児童育成クラブが設置されて放課後子供一人で淋しい思いをする子供がいない状態になっている。その子供達の通学路も埋立地である新町と中町の通学路は幅2m～5mある並木道の歩道を歩けるので交通事故はほとんどなく（密集市街地再開発中の元町では未だ歩道がない道もあるが），その要所要所には交通整理のおじさんが配置されていて安心な通学路となっている。

　更に，新町の小学校は子供達が自主的に学習できるように，まるで自宅にいるような開放的な教室の配置が工夫された造りになっているので，1年生～6年が一緒に過ごすので学年を超えた子供の世界を体験できて生きる知恵を身に着ける場所になる利点にもなっている。尚，浦安市の3／4である埋立地内の中町や新町に住む父兄の大部分が東京で働くサラリーマンか経営者で教育熱心な親が多いので，市内には学習塾が多く，子供達は放課後塾通いする子も多く，学童の学習習熟度は県内でも最高クラスであり，他方，野球やサッカー，ダンス等の運動サークルや音楽教室等も多く，子供達はそれぞれの望みを目指して励んでいる姿が見られ，教育環境も充実している。

4. 浦安市内の図書館の充実度は日本一！

① 　浦安市立図書館は，1983年（昭和58年）に開設以来2021年（令和3年）4月28日で累計貸出冊数が6千万冊を突破して，同規模自治体の市立図書館としては開館から最も早い38年での達成であった！　令和2年度の貸出数は，153万561冊であった。

② 　子供と保護者へのサービスに力を入れており，絵本の読み聞かせ入門講座，図書館クラブ「あなたも図書館員」，絵本の時間スペシャル，春・夏・秋・冬のお話会，親子で楽しむ絵本講座，ブックスタート絵本講座，赤ちゃんと楽しむわらべ歌の会などの活動を行っている。

③ 　紙芝居道具一式を申込みがあれば分館窓口で，期間を2週間で貸出している。

④ 　幼稚園・保育園・学校への司書の読み聞かせ及びストリーティング等の派遣サービスは，司書が市内の施設に伺い，本を読み聞かせたり，ストリーティングやブックトークなどを行っている。又，図書館では学校からの依頼により，「司書の職業体験」も行っている。そんな出会いの楽しさを届けた回数は，計405回（延べ参加人数9,837人）である。

⑤ 　図書館の本を保育園や幼稚園，学校の図書室などへまとめて貸し出している。その延べ貸出利用団体数は156団体（貸出総数は4万1,283冊）である。

⑥ 　障碍者へのサービスとしては，資料の宅配として本や音声録音図書（その回数は，計265件，貸出67点）を届けて，対面朗読は司書が本やカタログ等希望の資料を朗読（計58回，貸出67点）している。

⑦　病院サービスでは，順天堂浦安病院に入院している方にご希望の本をお届けしている。そのリクエストは69件であった。

⑧　集会行事としては，名作映画鑑賞会や本を探そう図書館利用講座，非核平和都市宣言記念事業「平和パネル展」，その他時宜を得た講座等が実施されている。

⑨　浦安市立図書館には，何冊の本があるでしょう？　令和4年3月末時点では110万3,271冊だった。一生かかっても読み切れないのではないか。

　　中央図書館（72万1,598冊）の他に，それぞれの公民館の中に，堀江分館（4万209冊），猫実分館（5万1,854冊），富岡分館（5万2,435冊），美浜分館（5万1,042冊），当代島分館（4万4,251冊），日の出分館（6万2,425冊），高洲分館（7万3,457冊）の7つの分館があり，全館合計（110万3,271冊）の本がある。更に，浦安市には移動図書館があり自動車で地域を回り，地域住民に密着した本のサービスが行われている。

⑩　読書通帳を，小・中学生には配布している。読書通帳には，借りた本の図書名や感銘を受けた内容などを記帳するようになっている。

⑪　図書館では，「こちら浦安情報局」として，浦安市内の「図書館情報」や「市役所からのお知らせ」，「コロナ情報」，「商工会議所の創業支援セミナー」，「浦安市民大学の特別動画講座」等をビデオで発信しているので，市民はそれをパソコンで何時でも視聴することができるようになっている。

　以上のように，浦安市の図書館は，子育てや市民の生活に必要な情報源になっていて，日本一の充実度であると言えよう。

5. 浦安市には，買物する店舗や楽しむ店舗群が揃っている ことで日本一!?

① 中町（美浜・入船・今川・富岡）に住む人には，新浦安駅前には大型スーパー・イオンやモナ新浦安店，アトレ（駅下の専門店街）があり，入船4丁目には病院や歯科医院，美容院，学習塾，食べ物店，不動産業者等の専門店があり，今川地区にも各種食堂や美容院，薬局などがあり，新浦安駅に近く，買い物と楽しみの便は最高に良い状態である。

② 新町にはヤオコーやニトリ家具店，本屋，食道街，遊技場等があるニューコースト（イトーヨーカドーの跡店）やケーヨーデイツー，デンキランドなどの大型店があり，新浦安地域に住む人の買い物の便は東京まで出かけなくても殆ど叶う状態である。

③ 浦安駅周辺の元町（北境，当代島，堀江）に住む人にとっては，大型スーパー・西友があり，駅周辺には美容院・理容院，不動産業店，病院，塾，回転寿司店，パチンコ店等の生活に必要な各種専門店が多数あるが，特に「昔漁師だった人達は舌が肥ている」のでラーメン店街やイタリアンでも焼き肉，フグ店，寿司店等の日本料理等の各種飲食店はどこで食べても美味しい店が多いと評判である。特に，浦安駅周辺の元町の飲食店は，大規模店舗内の店舗と比べて飲食店の食べ物は個性的で独特の美味しさを味わえると評判の店が多い。

④ 浦安駅から少し離れた堀江地区に住む人も，大三角線の道路沿いにはスーパー・マルエツがあり，100mごとにコンビニやラーメン店，焼き肉店等の店舗があり，日常の買い物に不自由がない状態である。

⑤　どの駅からも駅から歩いて30分〜40分と浦安では一番遠い東野地区に住む人でも，スーパー・オーケー浦安店やマツモトキヨシ，ファミリーマート，トンデン（飲食店），ジョナサン，大型スーパー・ヤオコー，アクロスプラザ等があり，日常生活に不便はない状態である。

⑥　新浦安駅から歩くと30分と少し遠い高洲地区は，新浦安駅までは広い歩道付きの道路なので渋滞しないで15分おきに出るバス便で12分で行けるので新浦安駅前まで買い物に行く時でも交通の不便感はないし，日用品の買い物ではスーパーオーケーストアとワイズマートの2店舗あるだけであるが，この2店舗の品揃えと安さが抜群で，日常生活には事欠かない。

　尚，この地区にはタムス（リハビリ病院）と特養老人ホームがあり，その海側には高洲海浜公園があり，そこにはパークゴルフ場と長い滑り台と芝生公園があり，親・子・孫が一緒に遊び・運動したり，海を眺めて散歩したりすることができる場所として，人間に必要な最高に健康的に生きる場所として住民は満足できている。

⑦　舞浜駅に近い舞浜地区は，食堂や日常の買い物ができる店舗は少ないが，舞浜駅を超えればイクスピアリがあり，日本中の美味しい物が食べられる飲食店や映画館，イベント会場，ディズニーグッズやお土産物店等もあって，楽しい店舗群があるので，日常の買い物の便は駅前の方にちょっと遠出すれ10分で行けるし，東京駅までは電車で18分，直通バスなら成田までは40分，羽田までは35分で行けるので，交通の便は非常に良い状態であると言える。

日常の買い物が多少は不便としても，それ以上に夢の国ディズ

ニーリゾートと東京ディズニーランドホテル，ディズニーアンバサ
ダーホテル，ディズニーシーホテルミラコスタ，セラトンホテル，
ホテルオークラ，ヒルトンホテル，東京ベイ舞浜ホテル，サンルー
トホテルの7個のホテルライフの楽しみを何時でも味わえる住まい
として満足できるであろう。

＊以上浦安市内の市民感情を述べたが，人は食べることと遊ぶことが大好
　きなので，以上，述べきれないほどの買い物や楽しめる店舗群があり，
　買い物の便と遊びの楽しさでは浦安市は日本一の街である，と言えよう。

参考②　高洲海浜公園の親子の遊び場と海を楽しむ堤防のフロント

6. 運動公園・公園・緑道・緑地の多さと公園の充実度が日本一！

　浦安市には公園がやたらに多いと思っていたので浦安市公園マップで調べて見たら，公園が126カ所と，その他に緑地や緑道が21カ所合わせたら何と147カ所もあった！　東京湾に面した北東側から墓地公園約200,000m^2（約6万坪），その西側に浦安市総合公園132,000m^2（約4万坪），そのまた西側の高洲海浜公園50,000m^2（約1万5千坪），更に舞浜にある浦安市運動公園181,830m^2（約5万5千坪）と海側には合計4カ所の合計約17万坪の大規模公園がある。

　更に，日の出地区には日の出お日様公園，高洲地区には高洲中央公園が，今川地区には今川トリム公園が，美浜地区には美浜運動公園と美浜公園と交通公園と美浜若潮公園が，富岡地区には中央公園が，弁天地区には弁天ふれあいの森公園が，舞浜地区には舞浜公園と大三角公園が，海楽地域には海楽公園，とそれぞれ1万坪前後の12カ所に中規模の公園がある。

　その他に，150坪〜6,000坪位の小さな公園が90カ所ある。又，海側と川の淵側に緑道があり，その他にも緑地帯が各地区に21カ所にあるので，『街の中は公園だらけ』で『まるで公園の中に街がある浦安市』なのである。

　そして，例えば浦安市運動公園の中には，プール，テニスコート，バスケットコート，ダンス場，柔剣道場，子供の運動場等々の施設があり，戸外には野球場，テニスコート，陸上競技場等々の運動競技場が整っている。

　浦安市は，三方を海と川に囲まれた水に恵まれた地域なので，その地の利を生かし浦安市総合公園と高洲海浜公園には，広い芝生広

場やキャンプ場，ビオトープ，長い滑り台，親子の芝生広場，海を眺める展望台，パークゴルフ場などが用意されているので最近は神奈川や東京から来て遊ぶ親子づれや釣り客の姿が増えている。

市当局では，浦安市総合公園と境川河口の公園予定地と高洲海浜公園を一体として結ぶ『愛の架け橋』で結び，東京湾に面した側を総合的に市民が楽しめる公園にする構想を検討しているので，カヌーやサーフィン等の海と川でも遊べるし，広い芝生広場や長い滑り台などの遊具やジャングルジムで親・子・孫が遊べて，海を眺めるウッドロードもできて，釣りが好きな人は釣りをして，腹が減ったらキッチンカーで食事もできるような更に面白くて楽しい公園になることであろう。

そうなれば，近県からも遊びに来る家族づれが更に増えて，浦安に住みたい家族は浦安に引っ越してくることになり，浦安は更に繁栄することになることが目に見えるようである。公園は，そこで家族や友人と遊んだり，運動したり，食事をしたりすることで気持ちも晴れて，健康になれる所なので，更なる公園の充実が待たれる。

7. 鉄道と道路の交通の便のよさ・市内の道路状態の快適さも日本一！

浦安市は約4km^{2}の狭い地域の中に，東西線の浦安駅と京葉線の舞浜駅と新浦安駅の3つの鉄道駅があり東京中心部まで20分で行け，車では湾岸道路と首都高速道路で約20分で行ける交通の便が良い地域である。直行バスだと高洲地区から，東京駅八重洲口まで35分，羽田空港まで35分，成田空港まで50分で行ける交通の便が良い地域である。

又，浦安市の約3／4は埋立地であり，ディズニーリゾートが誘

致されたリゾート地域と鉄鋼団地と物流団地からなる工業地域と住宅地域の3区分で都市計画通りに造られた街と旧漁民の街であった元町地域からなる計4つの街でできている。第一次の埋め立て地域を中町，第2次埋め立て地域を新町と呼んでいる。

　中町と新町は埋立地であるために平坦な土地であり，全ての道に桜やイチョウ，サルスベリ，ドングリ，ヤマモモ，ヤシ，ツツジなどの木が植えられた広い歩道と最低でも6m～50mの広い車道が碁盤の目のように計画的に配置造成された広い道路なので渋滞することがなく，駅までのバス便も予定通りに駅や目的地に着くことができて便利である。歩道が広いので歩道を自転車で走ることもでき，自転車で交通事故にあう危険はほぼない。むしろ，自転車のスピードの出し過ぎで，歩いている人へ注意をする必要が求められている。

　又，海岸線や河川の脇を中心に緑道も15カ所に作られていて，ここでは交差点がないのでのびのびと自転車を走らせる楽しさを味わえる。

　埋め立てから既に50年以上になるので，緑道や緑地帯や歩道に植えられた木々は大木になって四季折々の花を咲かせてくれるそんな浦安市の道は車でも，自転車でも歩きでも，気分が晴れる気持ち良い並木道に成長した。東京近辺で働く子育て中の家族がテレワークと家族の健康や幸せのために浦安に引っ越してくる気持ちがよく分かる。

8. 浦安市は，子育てしやすい街で日本一になれるか?!

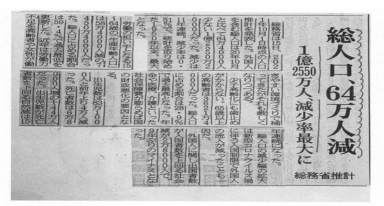

出典：日経新聞2022年4月16日

　総務省は2021年10月1日時点の人口推定で，外国人を含む総人口は1億2,550万2,000人と20年度より64万4,000人減少する，と発表した。生産年齢人口（15～64歳）は7,450万4,000人，出生児数は83万1,000人，死亡者数は144万人で出生児数が死亡者数を60万9,000人下回る自然減は15年連続となり，少子高齢化で人口減少が進んでいる日本である。浦安市の人口は今のところ16万9,210人，世帯数は8万3,034人（2022年9月30日現在）で，これまでは順調に人口が増えてきたが，働く子育て世帯を奪い合う都市間競争が今後激しくなるので，今後は浦安の人口も少しずつ減少していくとの予測がある。

　そこで，上述したように，東京に近く電車や車でも20分で東京中心まで行ける通勤環境が良いし，買い物環境，学校環境，教育環境，図書館環境なども良く，運動公園や公園や緑道等の運動環境も

良く，碁盤の目のように整備された土地区画や渋滞しない道路と海に面した開けた住環境も良いので，『今後も子育て世帯を引き付けことができるか？』が浦安市が更に繁栄するキーワードになると考えられる。

　浦安市当局の努力で，入船の市立保育園は建て替えて260人が入所できるように拡大されたり，官民協力の保育園ができたり，保育園，幼稚園，子供園の待機児童数は0と良好なので，今現在は問題は少ないが，今後は子育て中の親への子育て補助金の有無や出産補助金の有無などで都市間競争が更に激しくなり，子育て環境の整備が重要になると予測され，官民の努力が求められる。

9. 年間3,300万人が来場するディズニーリゾートのある観光都市として日本一！

① 　幸いにも，浦安市には東京ディズニーリゾートと言う知らぬ者もいない楽しいリゾートができて，常に年間3,300万人の老若男女が遊びに来る観光地になっているし，駅前のイクスピアリはディズニーグッズとお洒落服やちょっとお洒落な買い物，日本中や世界中の美味しい食べ物を楽しむ場所になっている。

② 　尚，『浦安市の成人式はディズニーシーで行われています！』『浦安市に住む新成人は，浦安市に住んでいた故に最高の幸せを感じることができる！』のであるから，若者を市内に呼び込む最高のイベントになっている。

③ 　更に，浦安市には，遊びに来た人が泊る1万3,000室のホテル群があり，そこでは結婚式や会議やあらゆるイベントが開催されており，そこで楽しく遊んだ人は，ディズニーがある街に住みたいと進学や就職の時に浦安のアパートに住み始める。

④　家族連れの世帯はテレワークで東京を離れる時は，ディズニーランドがあることも一因となって浦安を選んで，自宅を借りたり，購入したりしながら，友人知人にディズニーがあることが自慢になり，浦安ライフを楽しんでいる。それらの動きは人を引き付けるディズニーリゾートの力による所が大きいと言えるであろう。

10. 浦安市内に住む若者が多くて活気がある街として日本一！

　浦安市には，若い人がわんさと住んでいる。それはディズニーリゾートに来た若者がディズニーリゾートがあるこの町に住みたいと思いアパートに住むからである。

　又，ディズニーリゾートを運営するオリエンタルランド社には，正規従業員が約7,000人強とアルバイトが3万人以上いるので，その人たちがアパートを借りるからである。

　更に，1万3,000室弱のホテル群の従業員やアルバイトがアパートを借りている。その上，浦安市には，明海大学と順天堂大学看護学部と行徳寺大学があるので，学生さんがアパートを借りている。

　その為，浦安市内には元町方面に若者用のコンビニと飲食店と遊び場が沢山できた。例えば，大三角線の道路沿いには100mごとにコンビニがあるし，若者用のラーメン屋やとんかつ屋などの飲食店や遊び場も揃うことになり，若者が多い街は活気があり，地元の賃貸業者と商売を行う人に貢献している。

　因みに，浦安市の住宅地での『自宅が賃貸家屋か所有家屋か？』調べてみたところ，割合がほぼ50：50であった。浦安市は若者の割合が多い街としても日本一である！

11. 三方を海と川に囲まれた何でも揃ったコンパクト
シティーとして日本一！

　浦安市は，東は三番瀬の海，南は東京湾，西は江戸川河口と三方を海と川に囲まれたわずか4km^{2}の面積の中に約17万人が住む街であるが，市域の３／４を占める埋め立て地域には鉄鋼通り（鉄鋼団地）と千鳥地区（物流基地）がある工業地区とディズニーリゾート地区と住宅地区の３つの地区があり，元町（元漁師さん達が住んでいた旧町）の合計４地域がある。浦安市の街の発展は，50年前の熊川好生市長時代に作られた都市計画に従って進んだ。

① 　漁業権を放棄して，埋め立て工事を行い市域は4km^{2}に広がった。

② 　まず東京都鉄鋼連盟を鉄鋼道りに誘致することに成功し，物流地域も大手企業の誘致に成功して，『何れも公害のない工業地域として大発展中』である。

③ 　次に東京ディズニーランドの誘致に成功して，その後飲食などもできる新しい日本流のディズニーシーを増設し，現在は『年間3,300万人が来る東京ディズニーリゾートと１万3,000個の部屋があるホテル群として大発展』し続けている。

④ 　『一番大きな面積がある住居地域は，海の状態の頃に大部分を都市住宅公団が購入』し，都市計画通りに，戸建て地域とマンション地域と大手スーパーなどの店舗が集まった何でも揃った商業地域の三地域に分けて，それぞれが整然と造成建築された街が出来上がり，『並木道がある広い歩道と広い車道が碁盤の目のように走る，そこここにヤシの木が聳える日本では珍しい海に通じた開放的な街が完成』して，そこに住む人は『マリナーゼ』と呼ば

れる街になり，東京のビジネスで成功した人が集まる街になった。
⑤　この街に住む人達にはそれぞれの特徴がある。まず，東西線浦安駅周辺の元町は密集市街地の再開発がなかなか進まないので，道路が狭かったり道路がなかったりする地域もあるが，『元漁師の人達は知り合うと人懐っこく開けっ広げで人情味あふれる人が多く，舌が肥えているので飲食業に向いており，どこで食べてもおいしい店が多く，食の街として今後も栄える可能性が大きい。』

その点埋立地側の中町や新町に住む人達は元町の人情ある人達とは大きく違い，戦後の経済復興の波に乗って『日本各地から集団就職で東京に来た人達』や『各地の大学を出て大手企業に就職した後ビジネスで成功した人達』などが丁度大規模開発で発展を続ける浦安市の団地や地区に住むことになり『それぞれ個性や人情が違うが，同じ団地や近い地域に住む人達と仲良くするしかないので，それなりに協力して自分達の住み易い環境を守ろうとする人達の街』となっている。

⑥　浦安市はわずか4km^{2}の市域に工業団地と観光業地域と何でも揃った商業地域と公園や緑地，緑道，運動公園，野球場，テニスコート，海に親しむ海岸設備，人情豊かな元町等々『何でも揃った日本一住み易い街として日本一のコンパクトシティ』になった。

12. 地方交付金を受け取っていない自主財政の自治体として健全財政力日本一！

浦安市は地方交付金を受け取っていない数少ない地方自治体の一つであるが，次の浦安市のコロナ禍前とコロナ禍後の自主財源表を比較しながら見ていただきたい。浦安市がコロナ禍後でも財政力が落ちなかった理由が分かるであろうか？

① コロナ禍前年20年度の税収は，422億2,789万円であるが，コロナ禍後の22年度の税収は425億8,851万円と逆に増えている。それは個人市民税が10億232万円減収と法人市民税が18億1,715万円減収だったが，固定資産税が32億6,302万円増えたことによる3億6,062万円の増収だったからである。

個人市民税や法人市民税は景気次第で増減しているが，地方自治体の税収源である固定資産税は景気に左右されない制度で守られていることが分かった。

浦安市の税収の46.0％が固定資産税から得られていることで，コロナ禍で落ち込んだ地元中小企業や医療機関への資金援助費用等を，浦安市では独自に支出して市民を助けることができたのである。

② 固定資産税は土地と建物の固定資産税評価額に対して課税される税金である。木造建物は新築時に工事費用の55％位で決定された固定資産税評価額×1.4％の固定資産税がかかり，法定耐用年数の20年まで1／20ずつ減額されて，20年を超えた建物には5％の価値が残る法定固定資産税価格に対して課税されること

参考③　浦安市の自主財源

以下の浦安市の自主財源を見て下さい。　浦安市がどんな街に見えますか？　（単位は万円）

	21年度		20年度		前年との比較
市　　税	4,258,851	(100 ％)	4,222,789	(100 ％)	+36,062
市 民 税	1,891,043	(44.4％)	2,172,990	(51.4%)	▽281,947
個人市民税	1,628,698	(31 ％)	1,728,930	(40.9%)	▽100,232
法人市民税	262,345	(6.2％)	444,065	(10.5%)	▽181,715
固定資産税	2,271,378	(53.3％)	1,945,076	(46.0%)	+326,302
軽自動車税	8,510	(0.2%)	8,323	(0.2%)	+1,870
市たばこ税	83,600	(1.9%)	88,000	(0.2%)	▽4,400

出典：令和3年度浦安市予算書

になっている。

③　鉄筋コンクリート造の建物の耐用年数は47年，鉄骨鉄筋造は60年，軽量鉄骨造は鉄骨の厚さ3mm以下は19年，厚さ3〜4mmで27年，4mm以上で34年の耐用年数と定められて，その経過年数による法定固定資産税評価価格に対して1.4％の固定資産税が掛かる。

④　浦安市内の建物は，マンションは鉄筋コンクリート造か鉄骨鉄筋コンクリート造が多いので，耐用年数は47年か60年とされて，1／47又は1／60ずつ毎年減価されるし，ディズニーやホテルの建物等1／47又は1／60ずつ毎年減価されることになり，浦安市の固定資産税収は47年〜60年を超えると固定資産税収は減ることになる。

⑤　浦安市の自主財減の要である固定資産税は，鉄筋コンクリートの堅固な建物が多いほど長く大きく続く訳で，高い建物や堅固な建物が建つように，都市計画を変更して，主な幹線道路の両側100mを全て近隣商業区域（容積率300％／建蔽率80％）に変更して，ディズニーリゾートやホテル業以外にも各所の商店街やDX等の新産業が住みつき繁栄するようにする必要がある。スタートアップ企業は貸店舗から始まるのであるから大きなビルができるようにすれば，地主さん達は大きく高いビルを建てて，人に貸すことを始めるので，必ず新産業の若者が巣立つことになるからである。

⑥　更に浦安市の自主財減の二つ目の要である，個人市民税が減少しないように，子育て中の世帯が浦安市に引っ越しして来るように，子育てし易い街を維持し続けることも必要になる。

第2編　浦安経済

第4章 浦安の産業史（漁業以外）

水野 勝之

（明治大学商学部教授）

水野 貴允

（公認会計士）

1. はじめに

　浦安の経済を支えてきたのは産業である。かつての浦安の産業は現在とは異なる形態で経済を形作っていた。浦安の産業の中心をなしてきた漁業の歴史については，別章で述べるが，浦安におけるその他の産業も浦安の経済史にとって非常に重要な役割を果たしてきた。すべての人が漁業のみに従事してきたわけではもちろんなく，浦安には土地があり，人口があることから，それらを活かして他の産業も浦安では栄えてきた。例えば，その一つは農業であるが，筆者を含め現在浦安に住んでいる人たちが浦安の農業について詳しい歴史を知る機会は少ない。本章では，浦安のもう一つの柱であった農業の歴史を中心に，浦安を支えてきたいくつかの産業の歴史について取り上げたいと思っている。

2. 農業 (浦安町誌 (上) pp.91-100)

1) 浦安と農業

　浦安では，漁業だけではなく農業も営まれていた。コメ作りである水稲栽培がなかったのかというとそうではない。1921年（大正10年）時点で，自作，小作を合わせて田んぼの面積は浦安全体で約238ヘクタールあった。統計データの関係で少し飛ぶが（かつ面積から戸数に代わるが），1935年（昭和10年）の統計では，浦安の農家は本業副業合わせて533戸も存在した。といっても，専業農家はその中の20戸にすぎず，あとの約500戸の農家は兼業農家だった。

　これらの農家は，コメを生産している他の地域の農家とは大きく異なっていた。それは，コメどころの農家は耕作する田んぼのそばに住居を構えているのに対して，浦安の農家の場合，自分の田んぼのすぐそばに住むのではなく，人家の密集した地域に一般家庭と同様に住んでいたということである。郊外のコメどころであったら，自分の田んぼの近くに広々とした庭に大きな家を構えて住んでいた。しかし，浦安の場合，住宅密集地の小さな家に住んでいたという。住む家からして我々が想像する一般の農家とは大きく異なっていたのである。

　大きく4つの理由があるが，まず，その第1の理由として，浦安がたびたび大きな津波に襲われたことが挙げられる。第2章でも触れたとおり，歴史が始まってから，浦安が大津波に何回も見舞われた記録がある。高潮による津波の被害を浦安の人たちは何度も受けてきた。第2章での記述によると，浦安全体を飲み込むかのような勢いのある津波であったとのことである。そのたびに人家が大きな被害を被った。安全なところに住むには人家の密集しているところ

しかなかった。逆に考えれば，安全だと思われるからこそ人家が密集していたということになる。浦安の農家は安全な場所を選んで住んだため浦安の町は家が密集した構造になっていたといえよう。

　第2の理由は，浦安の農家には大きな土地を買うだけの経済力がなかったということである。広大な田の面積を有するコメどころの農家に比べて浦安では零細な農家が多かった。農業生産高も本格的な農業地域と異なり少なかった。そのため彼ら一人一人には大きな土地を買う財力がなかった。

　第3は，農家1戸当たりの田んぼの面積が狭く小規模経営であり，維持管理の理由から近くに住むという必要がなかったためである。幸か不幸か，農作業の用具を納めるための小型の物置を田んぼに一つ置いておけばすべて事足りる生産規模であった。

　第4の理由は，農家といっても漁業者との兼業が多く，農業としての収入が少なかったので農業にそれほど重きを置かなかったためである。本業の漁業に便利なところに居を構えるほうが都合がよかった。そのため田畑に近い場所ではなくむしろ漁業に便利な密集地に住んでいた。

　以上の理由から，農家の人たちも浦安の住宅密集地に住んでいた。この現象は浦安特有のものであった。

2) 田植え

　田んぼで稲を育成する作業として田植えがあるが，浦安では，田植えは，卯の日を避けたそうである。なぜならば，卯の日は日が良すぎて，逆に悪いことが起きるのではないかと心配されていたからである。また，浦安では，毎月「6日」の午前10時前は農作業をしなかったという。その日は午後から作業を始めたらしい。

　浦安の農業は零細であるという理由から，当然農繁期には人手が

足りなくなった。そのような場合，他の人に頼るしかない。例え
ば，多くの人手を要する田植えの時には，親せきや知人が田植えを
手伝う習慣だった。親戚や知り合い同士が行う，この助け合いを浦
安では「ええ」と呼んだそうである。「ええ」の場合，手伝ってく
れた人たちに飲食を提供する習いがあった。田植えのお礼にごちそ
うをふるまう行事を浦安では「さなぶり」と呼んだ。かつて神様が
天から降りてきて田植えの様子を見守ってくれたという。無事田植
えが終わるのを神様は見届けてまた天に戻っていったという。「さ
なぶり」は田植えを見守ってくれた神様に感謝して行われたイベン
トであった。

3) 農業改革―大塚芳郎の改革―

　浦安の農業は零細が多く，産業としては力が入れられていなかっ
た。田の広さが専業農家で40アール，兼業農家で30アールに過ぎ
なかったからである。よって，本格農家とは違って，使用する農機
具はシンプルなものばかりで農業技術も進歩しないままだった。
1928年（昭和3年）当時まで，肥料にしても，下肥（しもごえ：人
糞尿を腐熟させたもの（小学館　日本大百科全書））を用いていた。浦
安の農業が生産的であるとはとても言えなかった。

　1929年（昭和4年）に農会長[注21]に，後の浦安農業の改革者とな

（注21）農会（浦安町誌（上）p.98）

　1902年（明治35年）に設立された。初代会長は大塚嘉一郎だった。目的は，農業の改
良・発展を図ることだった。具体的には，水稲の試作，害虫駆除，ネズミ駆除，用水
路の浚渫，用水路の藻刈り，耕地の橋梁の架設と修理などを仕事としていた。経費に
ついては農家の会員から徴収していた。保有耕地の面積に対しての賃貸価格を基にそ
の会費が決められていた。1943年（昭和18年）に農業会法が制定され，農会は農業会
に衣替えされた。浦安でも農会と浦安町信用販売購買利用組合が合併し，浦安町農業
会が誕生した。会長には，数々の改革を行ってきた大塚芳郎が就任した。

る大塚芳郎が就任した。前述のような浦安の農業の現状を問題視した彼は農業の近代化に取り組んだ。彼は稲作の増産を目標にそれまでの技術を向上させることに注力した。まず彼の改革の第1歩は苗代の改善であった。コメを増産するためには，健康な苗を作るべきであるという観点に立った。そこで，苗の品質の良しあしを競争させるため，毎年「苗代品評会」を催すことにした。評価のために5つの評価基準を設けた。それは，①塩水選（えんすいせん：種もみの中身が詰まっているかどうか塩水に入れる。中身が充実した優良なもみは沈んだままとなる）を実施しているかの有無，②成育の状態，③肥料を施す状況，④薄まき（種モミを粗く播くこと。ルーラル電子図書館）の実行状況，⑤管理の適否であった。得点の最も多かった者が優良，1等から4等までが入選だった。3年連続優良になると，東葛飾郡農会から特別賞が授与される制度だった。1937年（昭和12年）に大塚静太，1939年（昭和14年）に大塚竹次郎という人物がこの賞を受賞した。農閑期に授賞式があり，その式は講演などを伴い盛大に執り行われた。まさに農家のモチベーションを高める手法であった。品質を高めるためには競争を導入するという経済学の基本を大塚芳郎は実行した。

　大塚芳郎の第2の改革は，ばらばらであった水稲品種の統一を図ったことである。兼業農家の主たる職業は海苔養殖であった。ということは，農作業が海苔の作業とかぶってはいけなかったので，大塚の改革以前全耕地の80％は（海苔養殖の作業に影響しない）早生種が植えられていた。しかも，狭い浦安であるにもかかわらず，その早生種の品種がなんと18種にものぼっていた。同一の田んぼで同一種しか育てていなかったのにいつの間にかに変種してしまうこともあった。したがって，生産されたコメの品質は劣り，ようやく5等程度だった。この状態を改善するため，1934年（昭和9年）大塚

芳郎は浦安の農家に苗を提供するための採種圃を作ることとした。千葉県優良品種をそこに植え，育成，増産させたうえで浦安の農家に配る（交換または有償での配布）計画を立てた。試行錯誤の末，農林一号が浦安に最も適していることが分かり，その種を長期間浦安の農家に供給し続けた。これによって，浦安の水稲は地域に最も適した栽培に統一されていった。

　大塚芳郎の第3の改革は農機具のイノベーションの導入である。イノベーションとは技術革新のことである。新たな器具の導入による農家の労働力の効率化を図った。1929年（昭和4年）ごろから農家は足踏み脱穀機を導入し，作業がある程度早まっていた。1936年（昭和11年）大塚の指導の下農会は野田式自動もみすり機を購入した。これを各所に持ち回りで使えるようにした。この機械の導入により，各農家の脱穀作業の労働負担が大幅に軽減された。同時に，この野田式自動もみすり機はゴムロールでもみをするので，コメを痛めることが少なく，出荷するコメの品質の向上にも役立った。その後農機具のイノベーションがさらに進み，農家は単独または共同でそれを購入し，労働時間を大幅に短縮させた。その分各農業者は他のアルバイトに精を注ぐことができるようになった。

　第4の改革は土地の改良であった。浦安の開墾は享保年間（1716年-1735年）までさかのぼる。江戸時代に開墾がなされ，それは明治時代の1892年（明治25年）まで続いた。こうして開墾された浦安の田は不幸なことにコメ生産にはあまり適さない粘質沖積土であり，不良土であった。しかも，肥料に直接下肥を使っていたので土地が酸性化してしまっていた。「どぶ田」と比喩されるほどに田の状態は悪化していた。まず，「どぶ田」に相当する浦安の田の土壌を改良する第1として，農会は下肥を肥料として使うのをやめさせることとした。いくら策を講じても下肥を使い続ける限り酸化は止

まらない。そこで，肥料として有機肥料や化学肥料の使用を推奨し，促進した。酸性化した土地の中性化には石灰で中和させるように指導した。土地改良の2つ目として，堆肥の活用の推進である。堆肥とは，稲わら，落ち葉，家畜ふん尿などを微生物の力を使って分解・腐熱させ肥やしを作ることである。堆肥作りのための堆肥積込みに関して各部落ごとに実地講習会を開くとともに，毎年3月に堆肥積み込み週間を作り，堆肥の生産に力を注いだ。そうして造られた堆肥を肥料として使うことにより土壌の改良を進めた。農会は堆肥積込みの指導員も配置していた。3つ目に浦安独特の塩害に対する対処を研究した。浦安の海岸沿いは堤防から塩分が浸透してきた。塩を含んだ土地2か所に試験田を置き，塩分にも強い品種の発見と塩に強い耕地づくり（改良）の研究を行った。

　大塚芳郎の第5の改革は貯蔵技術の問題についてであった。収穫したコメを俵でくくるので，俵のかがり方（編み方）によっては品質を左右してしまう。そのかがり方が悪ければコメの質は低下してしまう。かがり方の技術を高めるため，俵かがり大会を開催したという。俵かがりの優秀なものを表彰した。競争こそ質を高める最も適した手段である。前述の「苗代品評会」と同様，大塚芳郎はそれを知っていた。浦安農業者のかがり技術が向上したのは言うまでもない。

　大塚芳郎は以上の改革を行った。当たり前のように思えることだが，それ以前の浦安の農業に欠けていた要素を大改革した。大塚芳郎が登場しての各種改革後，浦安の水稲の収穫量は事実大きく伸びた。1926年（昭和2年）に10アール当たり187.4キロだった収穫量が，1929年（昭和4年）の大塚芳郎の登場後の1937年には10アール当たり308キログラムに増加した。まさに大塚芳郎をリーダーとした農会の5つの改革はしっかり実を結んだといえよう。

4) 蓮根

　浦安では農作物として蓮根も生産していたという。水稲だけでは農家の経営が立ち行かなかったからである。蓮根の栽培は次第に広がった。1918年（大正7年）の蓮根栽培面積は7.8ヘクタールであったが，1926年（昭和2年）には14.8ヘクタール，1935年（昭和10年）には51.9ヘクタールと大幅に増えていった。蓮根の栽培が水稲の栽培を逆転したほどである。

　蓮根の栽培は非常に難しい。浦安でも蓮根の生産が順風満帆だったとは言えなかった。浦安の蓮根生産にはいくつかの難題があった。その第1は，肥料に関する問題であった。浦安の蓮根栽培の肥料は下肥を用いていた。この下肥の活用の点で大きな問題が発生した。蓮根の生産規模が小さくはなかったため，浦安市だけでは下肥全部を補えなかった。そこで，下肥を東京市から調達していた。当初は東京市の業者から自由に購入していた。ところが，1936年（昭和11年）東京市が下肥関連事業を市の直轄事業とし，下肥を必要とする者は東京市から供給を受けなければならなくなった。東京市は農村に計画的に還元する方式をとった。こうして，浦安市の農家はそれ以前のように下肥を自由に手に入れられなくなってしまった。還元方法としては，まず5農家が1組となって必要量を農会に申請し，それをまとめて農会が郡農会に申請し，郡農会は集まった申請をさらに取りまとめて，下肥の必要量を東京市と契約するというものであった。その申請量に応じて東京市は船または自動車で下肥を各農村に運んだ。この還元方法は手間がかかったうえ，東京市から新たな要求が来た。衛生上の理由から各農村に密閉式コンクリート造りの貯留槽を建設することを求めてきた。浦安は，東京市8割，浦安町2割の費用分担で，船着き場付近の5か所に下肥の貯留槽を建設した。だが，東京市からの下肥の購入に関して浦安では他

の問題が生じた。水稲と蓮根しか栽培していない浦安の農家の場合，6月以降は肥料が全くいらない時期となった。それにもかかわらず，東京市の定めた月別平均割り当て方法では肥料を使わない時期にも浦安に運ばれてきてしまった。集中的に必要になるはずの肥料が1年間毎月均等に運ばれてしまう形式だった。これについて東京市と粘り強く交渉した結果，浦安町は特別扱いとなり，必要な時期だけ下肥が搬入されることとなった。

　第2の問題は，蓮根に限らないが，やはり天候の問題であった。農作物の栽培は天候に大きな影響を受ける。1933年（昭和8年）浦安町は大干ばつに見舞われた。その年にまったく収穫をあげられなかった蓮根栽培面積が2.2ヘクタールもあったという。70％未満50％以上の収穫という面積が80アール，50％未満30％以上の収穫という面積が40アール，そして30％以下の収穫の面積が1.2ヘクタールと散々な栽培結果であった。干ばつなのでとにかく水が足りなかった。しかも，浦安は海岸沿いなので塩分を含まない水が極端に足りなかった。水稲対策とともに蓮根に対しても対策が取られたが，天候には打ち勝つことができなかった。

　第3の問題は国の方針でありこれこそが浦安の蓮根栽培を壊滅させた最も大きな原因であった。浦安での蓮根の栽培は一時水稲の生産量を上回り，その栽培面積が74.5ヘクタールまで拡大した。だが，太平洋戦争に伴った1940年の米穀増産計画の下，米穀の生産が奨励され，蓮根の生産が減少してしまった。この国の方針によって浦安での蓮根栽培は消滅の方向に進んだ。

5）戦後の浦安の農業（浦安町誌（下）pp.141-164）

　戦後農地改革が行われた。大地主の土地を国や自治体が買い上げ，安い価格で小作の人たちに提供した。戦中まで小作の人たちの

取り分は収穫の半分しかなかったが，その改革によって自分の土地で生産を行い，収穫の100％を手にすることができる自作農化が進んだ。そのおかげで，浦安でも1946年（昭和21年）には553戸だった農家が，1956年（昭和31年）には617戸と増加した。ただし，その後の日本国内の食料自給の好転および農地の宅地化で1965年（昭和40年）には443戸，1970年（昭和45年）には182戸と浦安の農業は先細っていった。農業従事者も1965年には1,021人であったが，所得格差もあり，他の業種への転出で1970年には381人と激減してしまった。

さて，農地改革が行われて何が一番変わったかと言えば，農家にやる気が出て農作業のイノベーションが起きたことである。動力耕運機など農業の生産性を高める農業機械が数多く導入された。戦後間もない1946年（昭和21年）浦安には動力脱穀機が4台，動力籾摺機が6台しかなかったが，1961年（昭和36年）には，動力脱穀機が87台，動力籾摺機が67台，そして動力耕運機が54台と大幅に増加した。戦前の農業制度がいかにイノベーションと生産性の向上を妨げていたかが分かる。浦安の農業が，労働集約的から資本集約的に変わったのである。

天候は農業の味方でもあると同時に農業の敵でもある。1949年（昭和24年）のキティ台風，および1958年（昭和33年）の大干ばつで浦安の農業は大きな被害を被った。また，1960年（昭和35年）ころから地盤沈下が進み，1964年（昭和39年）には水田に稲が植えられない面積が約80ヘクタールに広がってしまった。前者の天候への対応については，堀江農業協同組合に相談所が設けられ，積極的な農業指導が行われた。後者の地盤沈下に対しては土地改良事業が実施された。

先人が力を入れてきた浦安の農業であったが，1969年（昭和44

年）に地下鉄東西線が開通すると，宅地化のうねりに農業も飲み込まれていった。その後徐々に農業の姿は消えていった。

3. 商業（浦安町誌（上）pp.139-144）

次に商業の歴史を見てみよう。

1) 店舗−一文商い屋

浦安の商店は，地元の人対象のお店が大半であった。荒物雑貨屋，仕立て屋，米屋，たばこや，油屋，駄菓子屋などであった。商品は浦安の中で製造されていないので，他地区に仕入れに行ったり仲買が卸しに来るのを買って調達することで，経営していた。

これらの商店のうち浦安で特筆すべきは最後にあげた駄菓子屋である。駄菓子屋は「一文商い屋」と呼ばれていた。「一文商い屋」は浦安の独特な商店であった。名前の由来は，駄菓子一つが一文だからである。「浦安町誌（上）p.139」によれば，浦安独特な呼び方だそうだ。現代のわれわれが考えると，この「一文商い屋」はさぞ子どもたちでにぎわった「子どもたちのお店」のイメージであるが実際は違った。「若い衆や年寄り達のよい遊び場」だったそうである。雨が降った日や漁が休みの日など，「将棋を楽しむ者，力競べをする者，なかには食いっこする」者であふれかえっていたという。「一文商い屋」は大人を含めた浦安の人たちの娯楽場であり，社交場だった。つまり，駄菓子屋である「一文商い屋」は「子どもたちのお店」というよりむしろ「大人たちのお店」であったといえよう。

2) 行商（行く）

浦安の人たちは浦安町から東京に行商に出ていった。大正までは

船（江東区高橋や小名木川まで）で，そして昭和初期からは自転車や乗り合いバスで東京へ行商に行った。もちろん乗り物がない時代は歩いて行商に行ったとのこと。現在は地産地消が推奨されるとはいえ，当時は浦安内のみで商売をしていても外貨（浦安外からのお金）を獲得できなかった。浦安では，幸い魚や貝が豊富に獲れた。それらを直接漁師から仕入れることもあれば，猫実の漁師たちが早朝から川べりで販売する朝市で買ったり，あるいは仲買業者を通じて仕入れることもあった。そうして手に入れた魚介類を売るために行商に出かけたという。彼らを「売りっと」「ぼて」と呼んだ。「もっこに小判型のはんでい（はんだい）^(注22)を重ねて乗せ，これに天秤棒を通し」（浦安町誌　上）担いで売りに回った。また，乗り合いバスができてから，女性も「売りっと」となった。夏の間は子どもたちも「売りっと」となった。子どもが行商に行くときは，ウナギざるに，あさり，はまぐり，シジミなどを入れて天秤棒で担いで行商したそうである。そのような行商には投資すべき資本がほとんどいらないため，子どもを含めて誰もが容易に行えた。遠い他地区に行商に行くことを「方角」「旅」と呼んだそうである。

　彼らの東京での販売先はさまざまであった。得意先が決まっていてそこに売りに行く者もあれば，特定の得意先というのがなく，大きな声をはりあげながら売ったり，1軒1軒訪ねて回って販売したりする者もいた。魚や貝が豊漁の時（＝獲れすぎて始末に困ったとき）や不景気の時，浦安の「売りっと」が急に増えたという。また，海苔養殖の閑散期の4月中旬から秋にかけても，その間暇になる漁師たちが「売りっと」となったためその数が増えたという。

(注22) 魚屋が魚を売り歩くときに使う，売り物の魚を入れる楕円形または円形のたらい。

3) 行商（来る）

　浦安から「売りっと」として（浦安外の）外貨を稼ぎに行く者もいれば，浦安にモノを売りに来て（浦安内のお金を）外貨として稼いで帰る者もいる。交通の便が悪かった時代はさほど多くなかったが，屋台車や自転車が発達したのちには他地区から多くの行商が浦安を訪れたようである。

　交通が不便な時から訪れていたのは，ご存じの富山の薬売り。得意先を回って，使った薬の代金を回収するのと同時に古くなった薬を交換していった。薬関係は富山の薬売りだけではなかった。暑気あたりの薬を売る定剤屋，薬箱を肩から掛けて手風琴を引き歌いながら売る胃腸薬屋，そして「毒消しはよござんすかね」と言いながら毒消しと化粧品を売る毒消し売りなどが浦安にやって来た。

　生活用品を売りに来る行商もいた。「玄米パーン」と叫びながら売りに来る玄米パン屋，リヤカーに金魚鉢を載せて売りに来る金魚売り，鈴を鳴らしてやってくる煮豆屋，涼しげな音色を鳴らしながら売りに来る風鈴屋，当初は茶箱を背負ってきたが次第に自転車に載せて売り始めたお茶屋，行徳から車を引いてやってくる味噌・醤油屋などさまざまな行商が浦安に来た。修理をしに来るサービスの行商もいた。蒸気で「ピー」という音を鳴らしながら「煙管の火皿と吸口の間をつなぐ竹管」（コトバンク：精選版 日本国語大辞典）の修理をしに来るらう屋，「いかけー」と言いながら鍋や釜を修理に来るいかけ屋，「こうもりなおし」と言いながらやってくる洋傘直し，鼓をたたきながらやってくる下駄の歯入れ屋などがいた。いずれも自分が何屋かが分かるよう，それぞれ違った音をたてて売りに来た。その音を想像するだけでも筆者らも楽しい気分になる。

　子どもを対象にした行商もやってきた。販売している商品のほとんどが飴類であった。飴屋にいくつかの種類があった。よかよか飴

屋は「頭にひらたいたらいを乗せ，たらいのまわりに紙の風車や小
旗を飾り，柄のついたひらたい太鼓をたたきながらよかよか節を唄
い」（浦安町誌　上p.141）ながら売り歩いた。金太郎飴屋は「『あめ
の中から金太郎さんが出たよ』といいながら，棒のように細長いあ
めを折って，切り口の金太郎の顔を見せながら売」（同）ったそう
である。猫じゃ（という飴屋）は「つくりものの猫を指先で動かし
て，『猫じゃ猫じゃとおっしゃいますがね』と唄い」（同）ながら販
売した。いかにも楽しそうである。いずれも子どもたちが喜んで飴
屋にまとわりついていく姿が目に浮かぶ。

　今のようにスーパーマーケットがない時代，浦安の人たちがいか
に商品を手に入れていたかが分かる。

4. 観光

　いまや東京ディズニーリゾートに多くの観光客が訪れる浦安であ
るが，実は東京から近いこともあり，かつても観光でにぎわってい
た。浦安と東京の行き来は，1919年（大正8年）浦安と東京の高橋
との間に通船が通るようになった。だが，それ以前から東京からの
行楽客が浦安を訪れていた。今の浦安は遠くに海浜幕張の町が眺め
られるが，当時は房総の山までが眺められ，眺望の良い浜辺であっ
た。潮干狩りやハゼ釣りをする多くの行楽客が訪れていた。通船が
開通してからはより多くの観光客が東京から訪れるようになった。
江戸川河口地域は潮干狩りのメッカで多くの人でにぎわった。江戸
川尻にあった大三角では海の家が建てられ，夏の間多くの遊泳客が
楽しんだ。江戸川周辺にはこうした行楽客のための遊船宿が多く立
ち並んだ。

　1934年（昭和9年），猫実東地先の海面に船溜まり（船の停泊場所）

が完成した。この船溜まりは「海楽園」と名付けられ，水にちなんだテーマパークの色合いが強かった。船を使って多くの観光客が海楽園を訪れた。園内では，泳ぐことができたり，ボートをこいで楽しむことができた。観光客が利用できるよう，売店や休憩所なども設置されていた。観光客はこの海楽園を都会近郊の遊び場として利用することができた。海楽園は浦安のテーマパークの元祖であったといえよう。

　秋にもなると多くの太公望がハゼ釣りに浦安を訪れた。釣り船が海面を埋め尽くしたそうである。5月には朝早く訪れ，海中に脚立を立てそこに座ってアオギスなどの魚釣りを楽しむ人たちもいた。また，観光としての投網船もあり，多くの観光客を乗せて，彼らの目の前で投網漁のパフォーマンスを披露した。川面に大きく広がる投網の輪に観光客は感激したということである。

　浦安は水に恵まれた町であったので，水資源を生かしての観光が盛んだった。漁業の町であると同時に観光の町でもあった。ただ，他のさまざまな娯楽も普及してきたせいか，戦後は浦安を訪れていた，こうした観光客の足も遠のいてしまったという。

5．結び

　以上，本章では浦安の多くの歴史の中でほんの一部だけを紹介した。浦安の歴史の中でも，農業，商業，観光業に関する主に経済に関連する分野の紹介である。漁業の町というだけでなく，農業，観光業も盛んだったということがわかった。ここで挙げた各産業の内容を勉強させてもらっただけでも，筆者らも浦安に住みながらこれまで知らなかったことが山ほどあることがわかった。先人たちが相当な苦労を重ね，今の我々の経済生活の土台を築いてくれたことが

わかった。また，浦安町誌に従えば，浦安の人たちは「宵越しのお金は持たない」など気風の良さを持った，大胆な生き方をする人たちであったこともわかった。地域経済を回すには重要なことであるかもしれない。

　浦安の産業史を調べるにあたって，気づいた点が二つある。第1はここで述べなかった他の浦安の歴史もたどる必要があることである。例えば政治の歴史である。政治と経済は強く紐づいているためであり，また，浦安全体を知るためには経済以外の分野も歴史をたどるのに必要であろう。第2は，かつての浦安の先人たちが現在の我々の土台を築いてくれたように，今の我々の生活が将来の浦安の人たちの土台になることである。先人たちの苦労の上に我々の生活があるのと同様，我々が次の世代以降の人たちの生活の土台を作る。現在の浦安市民は将来の浦安市民に対して大きな責任があることが分かった。

　今回は経済についてのみ焦点を当てたが，今後とも浦安の歴史をたどり，それを見える化できたらと考えている。

第5章　浦安の漁業

水野　勝之

(明治大学商学部教授)

1.　はじめに

　浦安と言えば漁業。今はほぼその操業の姿はなく，漁といっても漁業者は富津漁業協同組合浦安支部に属するなどの形をとり，浦安沖合というよりもむしろ他所の沖合で小規模に行われている程度となっている。釣り船が広義の漁業に入るか否かは不明だが，(筆者が) 無理に入れたとしても現在の浦安の漁業は決して大規模とは言えない状況となっている。

　海の町だけあって，かつての浦安は漁業が盛んであり，漁業を柱に経済が成り立っていた。前章で農業も紹介したが，漁業との兼業農家が多く，主流は漁業であった。浦安が経済社会として継続できたのは，幸運にもすぐ近くに江戸幕府が開かれ，江戸という大きな消費市場に魚介類の販売先が確保できたからである。そこで，浦安の漁業の歴史が記録に残っている江戸時代から当時の状況とその後の推移を見てみることにしよう。

　江戸時代の浦安の漁業関連として記録に真っ先に残されているのは，紛争とルール作りである。法律がなければ国家が成立できないのと同様，ルールが確立していないと安心安全に操業ができて，資

源が守られる漁業も成り立たない。江戸時代，浦安の漁師たちが船橋の浦（浦とは海，湖などの湾曲して，陸地に入り込んだ所。コトバンク：精選版 日本国語大辞典）の漁師たちの漁業域に割り込んだことから両者の間で紛争が勃発したことがあった。その際，代官所の裁定によって境界のルールが出来上がったようである。また，決めるべきルールは境界に関してだけでなく，海全体の魚介資源が減らないように近隣の浦とルールを決める必要もあった。こうして，課題に突き当たりそれを解決しながら，一歩一歩浦安及び周辺の漁業が近代化した。記録を手繰ると，こうしたルールの確立を通して浦安の経済を築くほどの漁業となったことが分かる。

　本章は浦安町誌（上）pp.103-135を参考としている。

2. 江戸時代の漁業

1）ルール

　いまの東京湾について，江戸時代，西は羽田からの内側を，東は富津から内側を江戸内湾と呼んでいた。今も所々に姿を残す干潟が当時広大であり，江戸内湾は優良な漁場であった。特徴としては遠浅だったため，漁の対象は大きな魚というよりも小魚が多かった。その江戸内湾に属する浦安の漁業も，当初は家族単位の小規模な漁であった。漁場の範囲も沖合ほぼ10キロ以内がせいぜいなものだった。だが，次第に漁業が盛んになると，零細の家族漁業から集団の本格的漁業に形態が変化していった。浦安漁業に6人網という形式が登場し，共同で羽田沖や富津沖まで行くようになったという。

　そのように漁の範囲が広がると，他の浦の漁師たちと争いにならないよう，かつ資源が守られるよう，ルールを決めなければならなくなった。そこで浦同士で漁のルールが決められていたという。

まず，第1のルールは漁場の割り振りについてであった。地域同士の漁場が境界で仕切られていた。境界で区切られた漁場は「磯猟場」と名付けられていた。村ごとにこの境界が定められたという。他方，それに対して沖合の境界から外の自由に漁ができる漁場は「沖猟場」と名付けられていた。地域の占有の「磯猟場」と自由に漁ができる「沖猟場」は境界で分けられていた。沖合の境界の決定は難しい作業であったが，漁業の状況から判断して決定されたという。

　その江戸内湾の「磯猟場」の境界は一つ一つの村単位に決められるか，いくつかの村を合わせて「浦」のような広い単位で決められた。前者の1村の占有漁場の場合，それは「支配」「進退」と呼んだ。後者のような複数の村の共同漁場を「入会」と呼んだ。例えば，江戸内湾の西側の場合，羽田から浦安に向かって，品川，芝，深川，葛西，行徳の5つの入会に区切られていた。浦安の堀江村，猫実村，当代島村は行徳領の管轄下だったので行徳の入会で操業していた。これらの境界の引き方如何で，魚がたくさん獲れたり，あるいはあまり獲れなかったりというように争いの原因になるので，その争いを避けるため，各村の漁師たちはうまく協定を結ぶよう努力していた。

　第2のルールは漁の道具の制限についてであった。江戸内湾の奥部は，海域も狭く，太平洋を回遊する魚が立ち寄るというわけではないため，豊富だといっても漁獲資源の総量は限られてしまう。近隣の村で無制限に漁を行えばたちまち資源が枯渇する。しかも，漁業技術や漁具の技術は人の工夫で次第に向上していくため，江戸内湾奥部で魚や貝が獲れなくなってしまう恐れがあった。そこで，1816年武蔵，相模，上総，下房の4か国の浦の漁師たちは，一般の漁具（許容範囲の漁具）以外の漁具に関して38の規則を決めるという協定を結んだ。これを「江戸内湾の38品の漁職」という。例

えば，必要以上に獲りすぎて魚を廃棄せざるを得なくなるのを防ぐため，また幼魚を獲るのを防ぐため，網の長さ，網の目の大きさ，釣り針の本数などきめ細かく取り決めていた。これらを厳守することにより，江戸内湾の漁業の継続が確保された。資源保護に関する江戸時代のこの協定は明治時代になっても継続された。まさに今でいうSDGsの手本に相当する協定であった。

浦安の漁民も当然江戸内湾の漁師の一員である。このように周辺漁民とルールを作り，彼らも紛争防止，資源保護に努めていた。

2) 指導者　猟師惣代

今述べたルールを各地元で漁民に守らせるためには，各村の漁民の統制が必要となる。個人個人が自主的に守るというやり方ではそのルールを破る者が出てくる恐れがある。江戸時代，その統制の役を担ったのが猟師惣代と呼ばれる漁民の代表者である。猟師代，猟師頭とも呼ばれた。名主と協力して各地区で猟師惣代は漁撈に関する統制を行った。誰でもなれるというわけではなく，猟師惣代は統制するための強いリーダーシップを必要とした。その力がないと漁師たちにルールを守らせられない。村の中で資力を持っていて，かつ指導力を持つ猟師がこの役に充てられた。各村に一人というわけではなく，複数がこの任に当たった。記録によると，堀江村，猫実村，当代島村では，各村2人から3人の者がこの役を担っていたようである。

猟師惣代の仕事には内政面と外交面があった。内政面では，自分の村の人たちが「38品の漁職」に従っているかを見守ったり出漁する日を決めるなど，地元の漁業を監視する役割があった。外交面としては，他の村との交渉やその妥結を行うことが役割だった。具体的には漁撈に関する折衝，ルールの内容を決めその遵守を協定す

ることなどであった。また，訴訟関連も彼らの仕事の一つだった。記録によると，1782年（天明2年）の三番瀬での争い（三番瀬漁場訴訟事件）では，堀江村の小右衛門，左平治，猫実村の新左衛門，当代島村の七左衛門がその訴訟関連の仕事をしたという。

3) 紛争（浦安町誌（上）pp.253-254，および「東葛飾郡誌」）

　いま浦同士の漁業のルール作りについて述べたが，やはり漁場の紛争は勃発していたようである。その紛争について見ていくことにより，浦安の漁業の歴史を垣間見よう。

　「葛飾史略」「浦安市史」によれば，江戸時代初期まで浦安の人たちは主に塩作りを生活の糧にしていた。塩作りが当時の浦安の主要産業であったという。浦安の産業が，その塩作り中心の産業形態から漁業や農業の第1次産業にシフトしたのは江戸中期になってからである。浦安での漁業の開始については，1713年（正徳3年）に勃発した船橋浦側との漁場の紛争の形で記録が残っている。（今の浦安市の一角を担っていた）猫実村が船橋浦側に金5両を支払い，船橋浦での5か月間の漁業（地引網）操業許可を得た。許可を得たつもりで猫実村の人たちが操業していたが，浦安近辺の海をも自分たちのテリトリーと考えていた船橋漁師町と操業域について争いになってしまったという。船橋漁協組合が保存する文書によると（船橋側主体に書かれている），1728年（享保13年），船橋村側は猫実村との境界争いに対処するための費用を出費し，本格的に対策を講じている。具体的には，1729年（享保14年），「猫実村，堀江村の人たちが多数船橋浦に入り込んで貝をとっている。自分たちの村が損害を被っている。両方の村の人たちが入り込まないようにしてほしい」と船橋浦の人たちが代官所に訴え出たという。

　ところが，次の年，なんと行徳領13村，東葛飾領7村，その他深

川や佃島の漁師たちまでが船橋浦の領域に入ってきて貝漁を行った。船橋浦の領域は貝の宝庫だったからである。船橋村の人たちの憤慨が想像できる。船橋浦側の訴えに対して，猫実村などは，そこは自由に漁ができる「入会」だと主張した。1782年になってようやく幕府の裁定が下り，三番瀬までが船橋村の漁場であることが認められた。この裁定によって境界が設けられた。とはいうものの，この代官所の裁定の後も猫実村と船橋村の境界をめぐる争いは収まらなかったという。海の上の境界争いは解決が難しい。浦安側から3人の死者が出るほどの争いとなったと記録されている。相当激しい争いであったのであろう。花蔵院（猫実）には，この亡くなった3人の漁師と解決に尽力した和尚・宥賢を弔って1889年（明治22年）に「公訴貝猟願成の塔」が建立された。この塔は花蔵院に現存している。

　1813年（文化10年），猫実，東宇喜田の村が湊新田，湊，欠真間，押切の村々を奉行所に訴えた。本来漁業ができない湊新田，加藤新田が船橋漁師町に補受金1両2歩を支払い，漁業を行っているという内容の訴えであった。具体的には，（浦安の村々との共同の漁場である）「入会」と船橋漁師町専漁場を区分けしなければいけないのに湊新田，加藤新田の人たちは船橋漁師町に許可を得て「入会」の領域で漁業をしていたという。裁決は，入会の権利を持っている猫実村などに話を一切することなく，自分たちだけ補受金を受け取って漁業権のない村に漁を許していたのは不届きだという内容となった。なるほど，現在の我々が聞いても理不尽な行為である。裁決では，違反漁師たちに過料金70貫が申し付けられたという。

　同年（1813年）猫実村が，三番瀬での境界について明確化してほしい旨を奉行所に訴えた。それ以前に船橋漁師町との境界は決められて明確化されているはずなので，幕府の役人が改めて境に杭を打ちに行くという裁定となった。この裁定でハッピーエンドかとい

うとそうではなかった。いざ役人が来て境界の杭を打とうとしたところ，その位置に不満を持つ猫実村が反発し，結局役人は杭を打たずに引き上げてしまったという。後日，今度は船橋漁師町の人がこの境界をめぐって老中のお篭を目がけて訴え出たとのことである。時代劇に出てくる直訴である。江戸時代たびたびなされていたようだ。老中に直訴を行った船橋漁師町の人は入牢を申し付けられたと記録されている。ただ，その後その人がどのような刑になったのか，両漁村の境界がどうなったかは浦安町誌に記載されていない。

4）漁業組合（p.134)

これまでも述べたような漁業に関するルールを守るため，江戸時代から明治初期にかけて各浦に自主的な漁業団体が出来上がった。堀江，猫実，当代島の各村にはこうした団体があった。団体の場所を会所とよび，各村に存在した。その会所で漁業指導や監督を自主的に行っていた。

1884年（明治17年）同業組合準則が公布された。それまでは自主的な組織であったが，それが組合化されることとなった。上記3村でも組合が置かれた。堀江村の組合長には大塚亮平，猫実村の組合長は田中徳次郎が就任した。1886年（明治19年）制定の漁業組合準則によって正式に漁業組合となった。1889年（明治22年）浦安村が出来上がり，上記3村の漁業組合は合併して浦安村漁業組合が発足した（ただし開設の年は不明)。合併と一言で片づけたが，それぞれの漁業組合の権利を出し合っての合併であった。堀江組合は大三角と小三角にある葦場の権利を，猫実組合は10万坪の漁場の権利を，当代島組合は現金を提供し合うこととなった。1902年（明治35年）の漁業法の制定により，浦安村漁業協同組合もその法律に従って活動することとなった。漁業組合の主な目的は，第1に

水産物資源を保護すること，第2に組合員の生活のための漁業生産の確保であった。漁業組合の事務所は当初個人宅に置かれたが，後に堀江に新築の建物を建てそこに移った。名称については1935年（昭和10年）に補償責任浦安町漁業協同組合，1944年（昭和19年）に浦安町漁業会とたびたび名を変えた。また第2次世界大戦時中には，漁業者の自由販売組合が禁止されてしまい，組合が水産物の販売を行う統制体制となった。

3. 海苔養殖

1) 江戸時代

　さて，漁業というと，大きなさかなを獲ったり大量の魚を獲ったりと，今やテレビで見るような沖合の威勢の良い漁業を思い浮かべる。だが，漁業にはさまざまな形態がある。例えば，海苔の生産も漁業の一つである。しかも，浦安にとっての漁業の重要な柱の一つであった。

　歴史をさかのぼると，東京湾での海苔養殖の始まりのきっかけは意外な気づきからだった。江戸時代，江戸内湾には徳川家に毎日の食材を献上するための魚のいけすがあった。いつも漁が好調にいくとは言えないでのいけすに魚を確保していた。いけすといっても，実際に海に木の枝や竹で囲いを作り，その中で漁獲した魚を生かしていた簡易的な設備であった。そこから毎日御前魚を将軍家に献上していたという。あるとき，その囲いの木の枝に黒いものがついているのに漁師たちが気づいた。それを取ってみると海苔である。いけすの囲いに海苔が自然発生したのである。ということは，海苔専用の同様の施設を造れば海苔を養殖できるということである。海苔専用に木の枝を海に立たせることによって海苔の養殖が行われ始め

た。この技術が，延宝（1673-1680年）から天和（1681-1683年）にかけて急速に広がり，海苔養殖の専業化が始まることとなった。海苔養殖とはいうものの，初期のころは本格的海苔養殖とは程遠かった。1820年代になって，海苔商を営んでいた近江屋甚兵衛という人物が君津の方の漁師を説得し，地元の小糸川河口で海苔の養殖を始めた。これが東京湾での初めての本格的な海苔養殖であったという。ただし，後年の養殖で胞子を人工的に付けるのと違って，海苔の胞子が付着し，それを育てる点において自然任せであった。そのため，海苔の大量生産にはつながらず，海苔養殖は明治時代にいたるまで採算の取れない事業であった。

明治時代のプロジェクトX

　海苔の本格的養殖に最初に成功したのは，製塩業と海苔養殖を行っている家に生まれた平野武治郎（1842年（天保13年）生まれ）という人物であった。海苔養殖の存亡にかかわるほど（安政以後の）凶作が続いていた1872年（明治5年）に家業を継いだ。君津の川尻のあたりで篊（ひび：胞子を付着させて生育させるもの　コトバンク：精選版 日本国語大辞典)[注23]を立てて海苔を養殖していた。小糸川付近に設置した上柵では，光沢が良く上品質であるが，胞子があまりつかず，川菜と呼ばれる植物の侵入を受けやすく，そしてまばらにしか育たない（収穫が少ない）という欠点があった。それに対して，そこから離れた塩度の濃い中柵，下柵に移るにつれて，海苔の品質は良くなくなっていくものの，胞子の付きが良くなり，収穫が多いという状況であった。両者一長一短であった。

　1878年，篊を立て終わった後平野はあることに気づいた。実は

（注23）具体的には海苔の胞子を付着させるための木の枝や竹である。木から竹，竹から網というように進化し生産性が向上したという。

その年のしけの影響で上物を生産できるはずだった上柵の篊が何本も流されてしまった。仕方なく，不良品質しか生産できない何本かの下柵を抜き取って上柵に移した。収穫時になった。すると，驚いた現象が起きた。流されてしまった上柵の代わりに立てた下柵の篊に光沢が良好な海苔が黒々と一面に密生しているではないか。元々の上柵の篊にはあとからついた川菜がはびこって，海苔は点在しているだけであった。つまり，篊を移植したことにより好結果がもたらされたのだが，その段階では平野はまだ確信が持てなかった。

　そこで，翌年から平野は篊の移植実験を行った。色つやが良くない海苔しか付いていない下柵の篊を上柵に移植してみた。それを観察していると，次第に色が変化しはじめ，とうとう最後に良質の海苔に変化していったのだった。成育も上柵のままにしていた篊に比べて早くなったという。下層でもまれて育った人間が上層界で強さを発揮するのと同様であろうか!?　その移植が有効だと知った平野は，篊の移植の時期を色々変えるなどの実験を繰り返し，移植の最適な時期を解明した。その解答とは10月上旬から中旬にかけてであり，寒さも厳しくない時期であることが分かった。その時，当初自分の生み出した養殖法を「たてなおし」と呼んだが，1885年（明治18年）に養殖法を確立した時「海苔ひび移植法」と変更し，最後に正式に「千葉県海苔柵移植法」と名付けた。1897年（明治30年）の第2回水産博覧会に平野は「千葉県海苔柵移植法」で栽培した海苔を出品し，高い評価を得た。「富津市の歴史PartⅡ」によれば，この方法を他地域で最初に取り入れたのは浦安の海苔養殖業者であったとのことである。浦安ではいち早く先端技術での海苔養殖が始まったと考えられる。

　平野の地元や浦安以外の東京湾に海苔養殖が広がったきっかけは，1901年頃，海藻学専門の理学博士岡村金太郎が「千葉県海苔

柵移植法」に注目したことである。彼はこの移植方法が有効であることを確認し、自著に記した。その著書のおかげで、「千葉県海苔柵移植法」が東京湾沿岸のすべての業者に採用されるに至ったという（浦安町誌　上　p.108）。この二人の連携で海苔養殖の生産性は飛躍的に向上し、大きなイノベーションにつながった。ただし、この段階では、まだ篊に海苔の種付けを人工的に行うのではなく、自然に海苔の種（胞子）がつくことに頼っている状況であった。

2）明治以降

　1880年代、浦安でも海苔養殖が検討された。猫実村村議会議員の田中徳次郎および堀江村漁協組合長の大塚亮平が大森町（現東京都大田区大森）の海苔養殖を視察した。その時彼らは東京湾での海苔養殖事業の採算が取れる可能性を見出した。そこで浦安でも海苔養殖を本格的に開始するという方針で海苔養殖に適合海面を探した。その調査研究の結果、東京の越中島先の海面が適しているという結論に至った。1885年（明治18年）東京の大島町などの8か村、および葛飾西村などの6か村と協力し合い、東京府に対して「越中島地先海面10万坪を海苔養殖に使いたい」という申請を行った。その申請が受理され、翌1886年に東京府から、海苔養殖のための海面使用の許可が下りた。浦安町はこの10万坪の内1.5万坪を活用できることとなった。最初のうちは試験的な養殖で終わってしまっていたが、次第に海苔養殖に携わる者が増えてきた。1896年（明治29年）時点で浦安の海苔養殖経営者は67人になっていた。この数にとどまらず以後も海苔養殖業の従事者は次第に増加していった。

　その後、越中島地先海面だけでなく、浦安の沖合も海苔の養殖に適していることが分かった。遠浅であり、かつ河川からの淡水と東京湾の海水が混ざり合っている好条件だったからである。1898年

（明治31年），千葉水産会に浦安沖合の海苔養殖のための使用申請をした結果，海面5万坪の使用許可が下りた。当初は委託の形での漁業組合による試験養殖だったが，その後1902年（明治35年）7万坪，1903年3万坪，1904年2万坪，1907年（明治40年）0.78万坪の海面に対して，第1種区画漁業海苔養殖の免許を受けた。1921年（大正10年）には，浦安村漁業組合の海苔養殖坪数は，浦安沖および他の地域沖を合算して37.2649万坪にもなった。このように，明治時代から大正時代にかけて浦安は海苔の町として大きく成長した。先述のように，平野の「千葉県海苔柵移植法」を真っ先に取り入れたことも功を奏したのであろう。

　1960年ごろになると，それ以前の自然に海苔の胞子の種が篊につく方法ではなく，人工的に胞子の種付けを行う方法に変わった[注24]。また機械化も進み生産性が向上したという。そのイノベーションにより変動の激しかった海苔の収穫が安定したという。だが残念なことに，1971年（昭和46年）浦安町漁業組合が漁業権を放棄したことにより長年続けられてきた海苔の養殖事業も完全にストップした。

3) 現在の浦安の海苔

　もちろん現在浦安では本格的な海苔養殖はない。では，浦安で海苔はまったく見かけられなくなったのか。そうではない。今もわずかではあるが浦安の海に海苔を見ることができる。

　第1に，浦安の海に海苔が自然発生しているという事実がある。2002年の菊地則雄たちの調査[注25]において，絶滅危惧種のカイガ

（注24）「海苔ができるまで」参照
（注25）参考文献「のり1海苔養殖はいま」内の菊地則雄p.14より

ラアマノリが三番瀬日の出で，昔養殖されていたスサビノリが三番瀬日の出と千鳥で見つかった。前者は東京湾では絶滅したものと思われていた。その貴重な種が浦安で見つかった。後者のうち日の出で発見されたものは対岸の南行徳で養殖されている海苔が流れて発生したと思われる。だが，千鳥のテトラポッドに生えている海苔は位置的にも南行徳のものが流れ着いたとは考えにくい。現在養殖されているナラワスサビノリではなく，昔の養殖ノリの子孫ではないかと菊地は見ている。

　第2に，2003～2004年当時郷土博物館が海苔養殖実験を行った[注26]。隣接する南行徳の海面で海苔養殖を行っている南行徳漁業協同組合の協力を得て，行徳沖で海苔を養殖してみたとのこと。博物館ボランティアの「もやいの会」にも手伝ってもらっての養殖だった。2003年は棒立て作業，海苔網を張る作業などを経ての実験であったが，東京湾全域に赤腐れ病が発生してしまい，海苔芽が無くなり，実験途中で海苔網を自主撤去せざるを得なかった。実験も暖冬の影響があったり，着生した海苔芽が落ちてしまったりと苦労の連続だったという。ノリの養殖が一筋縄でいかないことが分かっただけでも実験は成功であったのではないか。

　本格的に養殖しているわけではないが，浦安で海苔自体や海苔に対する意識が消えてしまったわけではない。

4. 貝漁

1）貝養殖の始まり

　淡水と海水が混ざり合っていて遠浅という浦安沖の好条件は海苔

（注26）参考文献「のり1 海苔養殖はいま」p.34

の栽培に適していただけではない。貝の養殖にも適していた。稚貝が発生しやすく育ちやすいからである。

　ただ，明治中期までは，養殖ではなく自然に増殖した貝を獲っていた。獲るという作業にのみ集中した，その乱獲によって貝資源が大幅に減少してしまった。1897年（明治31年）になって貝資源の保護と養殖の必要性が叫ばれ始めた。それに応じて，海苔養殖にも力を入れていた県議会議員の田中徳次郎[注27]がえまっか沖（現在の今川あたりの地名）に10万坪の貝の養殖場を作り，貝の養殖を始めた。明治末期になると，蛎内（現在の三番瀬の浦安寄りあたりの地名）でアサリの養殖が始められた。その後今の高洲あたりでもハマグリの養殖が始められた。当初手探り状態の中で，ハマグリの稚貝を撒き，秋に収穫していた。だがあまりにも小さくて買い手がつかなかったため，稚貝を撒いて1年後の秋ごろに収穫するようにした。大きくなったハマグリは商品化された。アサリやハマグリは佃煮業者や缶詰業者らの加工業者によって製品化され，東京方面に出荷されたという[注28]。

2）貝養殖

　養殖は稚貝から親の貝に成長させる作業システムである。最初の段階として，稚貝を海に撒く作業が重要となる。その稚貝を安定的

（注27）櫻井良樹（1999）に，1899年，1903年田中徳次郎が県議会選挙（東葛飾郡）で当選した記録がある。
　　　　櫻井良樹「戦前期千葉県・神奈川県における県議会議員総選挙の結果について」麗澤大学論叢10号 1999年2月　pp.116-128
　　　　http://www.fl.reitaku-u.ac.jp/〜rsakurai/fuken/chiba.pdf
（注28）「漁村からベッドタウンとなった浦安」三井トラスト不動産HP（2022年1月29日確認）
　　　　https://smtrc.jp/town-archives/city/ichikawa/p06.html

に手に入れるため，漁業組合は漁業者が獲った稚貝を買い取る仕組みを作った。養殖といっても，親から子を産ませ育てるのではなく，ウナギのように幼い稚貝を獲ってそれを撒いて成長を待つという仕組みであった。アサリの稚貝は葛西下の三等場といわれる個所か江戸前の連合貝まき場で収穫した。ハマグリの稚貝は今の第2鉄鋼団地（ディズニーリゾートの東側）あたりで収穫した。しかし，稚貝までの成長を自然任せにしているとその収穫量は少ないし，安定しない。稚貝までの育成についても自然任せにするのではなく，農林省（現農林水産省）が現在の日の出あたりをトラクターで耕し，稚貝までの生育を促進した。

貝の大まきと腰たぶ（腰まき）

　さて，次は貝の収穫についてである。収穫については貝の大まきと腰たぶの2つの方式があった。まず前者の貝の大まきとは，稚貝を撒くことではなく，「『まき船』に3，4人が乗り込み，船にまき籠を取り付け，船上のウインチで籠を巻きあげて採貝」することであった[注29]。この方法で浦安の漁師たちはアサリやハマグリの漁を行った。この貝の収穫では，資源保護の観点から次の3点に気を付けていた。

　第1は，収穫時期を11月から4月の間に限ったことである。正月以前は2日間隔で出漁したとのことである。浦安漁業組合が漁の日を決め，その前に漁業者にその情報を触れ回った。漁に参加する漁業者は前日までに入漁料を組合に納めて漁への参加資格を取得した。

　第2は，期間や日だけでなく，1日のうちの漁の時間も制限した

（注29）浦安市HP「貝まき」（2021年12月26日確認）
　https://www.city.urayasu.lg.jp/shisei/profile/rekishi/1001466.html

ことである。漁のはじめとおわりの合図にらっぱを鳴らし，漁師たちもその合図に従った。

　第3は，漁に使うまき籠の目をあまりに細かくせず，小さな貝が籠の目から落ちるようにしたことである。目の大きさを，1.5センチから2.1センチに制限した。籠の目については漁業組合での事前の審査にパスしなければならなかった。

　このようにいくつかのルールの下，船で漁をする浦安漁業者は貝資源を守りつつ，貝漁を行った。（日暮れ前の2～3時間の作業で）1隻で80樽の貝を収穫していたそうである。当時貝資源が豊富であったことがわかる。

　もう一つの貝の獲り方として，腰たぶ（腰まき）がある。5月上旬から10月の比較的暖かいシーズンに，1人でべか船に乗るか，または2～3人でまき船に乗り，遠浅の海に行く。そこで海の中に入り徒歩で個人個人が貝を掘る漁である。掘るといっても籠で掘るのである。「まき籠の柄を絶えず前後に振り，後退しながら籠の爪で海底を引きかき，アサリやハマグリなどを採る」。（浦安町誌上p.113）大まき同様，腰たぶの籠の目の大きさにも制限があった。その大きさは1.5センチから1.35センチほどに決められていた。やはり漁業組合の検査を通過する必要があった。養殖場以外で漁をするときは入漁料が必要ないが，養殖場で漁を行う場合は，大まきと同様，腰たぶのケースも前日に入漁料を漁業組合に納めなければならなかった。

5.　常灯明

　漁業は昼間とは限らない。夜行うケースも多い。浦安の漁師は星を頼りに方向を判断していたが，星の出ていない天候時には方向が

判断不能となる。そのような時に遭難してしまう者が続出したという。航行する船に対して方向を判断させるために灯台があるが，浦安の場合，それを建設するには規模が大きすぎる。明治維新のころ^(注30)，海難を防ぐため東学寺第15世住職の高橋義応が自費でこの灯台にあたる常灯明を設置した。規模は灯台よりもずっと小さかったが常灯明の高さ3メートル以上はあった。頂上に石油ランプを付けて光を発する塔が堀江川河口（現在の江川橋付近）に建設された。石油ランプ部分が雨でぬれて消えてしまわないように，笠のついた箱が設置された。そのランプは，鯉登りなどのように，下からロープを使って人が上げたり下げたりした。嵐の時にも壊れないように石油ランプは柱に固定した。高橋は，（宮沢賢治の詩のように）雨の日にも風の日にも毎日夕方になると常灯明に明かりを灯し，翌明け方に消していた。この常灯明のおかげで漁師たちの海難事故が激減したという。高橋義応，今や浦安のだれにもその名は知られていないが，浦安にはなんと立派な人格者がいたことか。

　残念なことに，1892年（明治25年）～1893年になると，せっかくのこの常灯明が海上から見えなくなってしまった。なぜならば，この常灯明付近に民家が密集して海上に光が届かなくなってしまったからである。海難事故が増えては困るので，新たに境川の秋山金魚養殖場（後述）のあたりに常灯明を建設した。新しい常灯明は約5メートルの高さの鉄塔であった。初代常灯明同様，毎晩石油ランプが点灯され，漁師たちの安全な操業を支えた。

　1911年（大正元年）ごろ，浦安に電灯が施設されたので石油ランプから管理の少なくてすむ電灯に切り替えることとなった。だ

（注30）浦安町誌上巻p.133には，「明治初年」と記載があるが，郷土資料館裏手の案内板には「1880年の10月3日，16人の漁師たちが暴風雨のために遭難するという事件」をきっかけにしたと書いてある。

が，常灯明のある金魚養殖場付近までは電線が通っていなかった。従来の常灯明を電灯に置き換えて使うということができなかった。そこで，弁天の民家の先の川岸に電柱が新たに建てられ，頂点に赤いランプが付くようにした。このときの常灯明の利用が昭和30年代の漁業権放棄まで続いた。

6. 各漁業

1）シラウオ漁

　浦安市郷土資料館調査報告第13集「浦安のシラウオ漁」に沿って，浦安でのシラウオ漁を紹介しよう。ここでいうシラウオは体長10センチほどの東京湾に生息していた魚である。その繊細な美味から漁の対象となっていた。江戸時代から行われていたシラウオの漁であるが，その漁が行われるのは特に1月から3月（11月末から

┌─ 一口メモ　―熊本県長洲町との共通点―

　本章を執筆しながら気づいたことがある。浦安の過去の漁業はどこかに似ているという印象を持ったが，筆者が地域活性化の研究をしている熊本県長洲町の現在に似ている。長洲町は有明海に面した熊本県北部に位置する町である。人口15,000人強の町である。長洲町は有明海の奥部，浦安は東京湾の奥部が共通である。

　主要産業は金魚生産と海苔の養殖である。金魚生産ではもちろん九州一。全国でも有数の金魚生産地。ノリの養殖も盛んである。まさに金魚と海苔の生産という点で昭和の戦後までの浦安に似ている。やはり他地域との競争や後継者不足で苦労しているようである。浦安の海が川の上流からの汚染で荒れたように，川（行末川）の上流から運ばれた堆積物がヘドロとして今長洲の海を荒らしているという。河口での危機も似ている。産業，自然での類似点が多い。

行われていた）にかけての寒い時期であった。かつて東京湾ではシラウオ漁が盛んで，多くのシラウオが獲れていた。だが，昭和30年代（1955年以降）から漁獲が極端に減り，いまや東京湾のシラウオは絶滅してしまった。

江戸時代

　江戸時代，東京湾でのシラウオ漁は風物詩であった。夜かがり火をたいてシラウオを集め，すくい網で獲る。獲れたシラウオは早春の江戸の味として楽しまれた。味はあっさりしていて上品な甘さがあったという。吸い物，卵とじ，酢の物，てんぷら，ちり鍋などで食されていた。漁としては，産卵するために川を遡上してくるシラウオを隅田川の佃島周辺で獲っていた。時期になると佃島の漁師たちは他の漁をやめ，一斉にシラウオ漁を行っていたという。獲れたシラウオを彼らは将軍家や御三家に献上していた。江戸時代，シラウオは，地位の高い人，裕福な人しか食べられない，押しも押されぬ高級魚の扱いであった。

明治以降

　明治時代，浦安でのシラウオ漁は江戸川の河口近くで行われていた。同じ江戸川でも対岸の葛西側は地盤の関係でシラウオ漁には向かず，浦安側でしか漁ができなかった。漁は，時期としては前述の1〜3月期，時間としては夕方から午前1時〜2時頃までの時間帯に行われた。明け方まで行わない理由は，築地に行く前に陸で待っている問屋に獲れたシラウオを引き渡したかったからである。

　漁は船の上から行うわけではなく，漁場まで行き漁師がベカ舟から浅瀬に降りて行った。三角網（Yの字の型に張った網）を自分の前にもちながら，漁師が前へ前へと進んでいった。自分の後ろにはランプを照らしたベカ舟を停泊させて魚をおびき寄せた。光に集まるシラウオの習性を利用した。船を停泊させるといってもベカ舟につ

けた4.5メートルほどのロープの先に石やレンガを付けて沈めているだけである。その周りで，漁師は三角網のYの字の足の部分を手でもって，Yの開きとその間に渡された網を海中に沈め，前へ進みながら灯に寄ってきたシラウオを捕まえた。集まってきた魚をすくうわけである。急に深くなる箇所にシラウオがたくさんいたので，漁をしながらも足を取られることに注意が必要だった。特に，大型船が間違って浅瀬に乗り入れ，脱出の際にスクリューで大きな穴を開けてしまうため，その穴に落ちないようにしなければならなかった。漁に集中していると，突然穴に落ちて溺れてしまう恐れがあるからである。

　シラウオが1キロ獲れた大量時でもその時の収入で1週間何も仕事をしないで過ごせるという金額には至らなかった。その収入では2，3日過ごすのがやっとだったという。

2）イカ漁

　浦安市郷土資料館（2017）に「浦安の烏賊網漁」がある。イカ漁だけをまとめた本である。本項はそれに沿って説明する。江戸時代中頃に東京湾でのイカ網漁が始まった。イカ網漁といえばイカを網で獲るだけの印象を受けるが，そのときの最大の特徴は，イカの疑似産卵場所を用意して漁を行う漁法だったことである。疑似産卵場所は「イカ藻」と呼ばれている。「イカ藻」は，葦の根の塊の土にホウキグサを1本1本手で刺して作り（浦安市郷土資料館（2017）p.99に再現写真あり），それを海中に沈める仕掛けであった。イカは本来浅瀬のアマモ，コアマモに産卵する。浦安でのイカ漁は，イカが浅瀬に到達する前に疑似的な産卵場所「イカ藻」を置いておいて，そこに集まったイカを獲るというものであった。イカだけを引き上げるのではなく，網でその仕掛けごと引き上げた。文字通り一

網打尽である。これは，本来のイカの産卵場所である浅瀬にイカが到達する前に沖合で獲ってしまうという工夫であった。その「イカ藻」を仕掛ける場所を「イカ藻場」と呼んだ。「イカ藻場」は水深が４〜７メートルのあたりであった。そこでイカ漁を行った。時期としては４月から５月にかけてである。その「イカ藻」は漁が終わる時期にイカの卵がついたまま海中に捨てた。（有機物でできているので害はない）。そこから新たにイカが生まれるので資源保護の役割も果たしていた。結果として，産卵しての生態系維持型，環境循環型の漁法といえよう。この漁法は千葉県からも高く評価され，推奨されていたという。「浦安の烏賊網漁」では，聞き取り調査で，６月下旬に大量の子イカが生まれ，群れとなって泳いでいくのを見たという元漁師の声を紹介している（p.157）。

　この漁法を取り仕切るために1907年（明治30年）ごろイカ網組合（「浦安の烏賊網漁」pp.66-67）が発足した。イカ藻を仕掛けて置いた後に強風で海が荒れると，どのイカ藻が誰のだかわからなくなってしまい，漁師間で争いが頻繁に発生していた。この争いを防ぐのがイカ網組合の大きな役割の一つだった。戦前は，イカ藻の置き場もくじ引きで決められていた。戦後獲れるイカの量が減ったためイカ漁の操業者の数も減り，くじ引きの必要性もなくなり，くじ引きはほとんど行われなくなった（１回だけ行われた記録がある。）。戦前・戦中とは異なり，戦後はイカ藻を仕掛ける場所も自由となった。イカ網漁は1956年（昭和31年）まで続いたが，その後はイカが獲れなくなってしまったため，イカ網漁は姿を消した。イカ網組合の組織に関してはその後も存続し，一部漁業権放棄の1963年（昭和38年）の翌年の1964年（昭和39年）に解散した。

　その他にもイカ縄漁という漁法もあった。浦安ではその方法でマイカ，コウイカ（スミイカ）を獲っていた。縄は120メートル強の

幹縄と長さ3メートルほどの枝縄から成っていた。幹縄に，枝縄を3メートルごとにつけて海に沈めた。枝縄の先には原則針がついていた。その針の形状はまちまちであり，場合によっては針がついていないケースもあったという。餌はイワシ，こはだ，ハゼなどの切り身であった。幹縄を引き上げて餌についてきたイカを直径1メートルくらいのタマ網ですくって獲った。イカ縄漁の時期は4月から5月，8月下旬から10月中旬，場所は高洲沖や三番瀬であった。

　最後に，現在東京湾のイカ漁はどうなったかに触れよう。最近では，テレビの番組で芸能人が東京湾に釣りに出てイカを釣っているケースをよく目にする。前掲書「浦安の烏賊網漁」が，木更津牛込協同組合を尋ねて調べてみたという。イカ籠漁の形でイカ漁が復活したとのことである。長さ2メートル，幅1メートルのイカ籠の中にハギという草を入れて以下の産卵場を作る。それを海に沈めておいて時間を置いて引き上げてイカを獲るというものであった。漁の時期が終わった後そのハギの茎と葉を海底に放置しておけばまた新たに子イカが孵化する。海の貴重な資源を守っている。いまも資源循環型の漁が続けられていることがわかった。

3）アオギス（p.135に参考文献記載）

　かつて浦安での漁業の対象としてキスの仲間であるアオギスがいた。細長い魚で，内湾などの沿岸（水深30センチ以下）に生息している。東京湾のアオギスは，干潟の埋め立てや海の汚染で住処が無くなり，昭和50年代（1975年以降）に全滅したといわれている。今では，四国や九州でわずかに見られる程度になってしまった。

　アオギス漁は江戸時代に始まった。記録では，江戸時代の寛文年間（1661～72年のころ）現在の東京都中央区湊にあたる鉄砲洲付近で輸送船の船頭がアオギスの釣りをしたところから始まっている

という。これがのちに「アオギス釣り」として江戸時代の遊びとしての文化となった。当初は長い歯の高下駄をはいて浅瀬の海中に立って釣りをする「立ち込み釣り」が主であったが，その後江戸末期に脚立を海に立ててその上に座って釣る「脚立釣り」が普及した。ただし，「立ち込み釣り」は無くなったわけではなく，昭和にいたっても根強い人気を保ち続けられていた。

　江戸時代から続き，明治，大正を通して昭和まで多くの人たちがアオギス釣りを楽しんだ。えさはスナイソメ（多毛綱ゴカイ科の環形動物。別名イソゴカイ。コトバンク：世界大百科事典）が主であった。昭和初期の記録では，アオギスの釣りに時期である5月から7月にかけて釣り人は船宿と呼ばれる宿に泊まり，朝4時ごろ出港した。長い時は夕方まで沖に出たという。漁業や農業と兼業の形で浦安の人たちは船宿を営んでいた。宿の人たちは朝食後に釣り人を送り出した後，アオギス釣りの餌となるスナイソメを自分たちで獲りに出かけた。砂の中に住むスナイソメを掘り出す作業は重労働であったという。

　明治時代以降もアオギスは漁業者の漁の対象ともなっていた。明治時代の資料にも東京湾での釣り漁について書かれている。浦安では脚立釣り，刺し網，延縄などの漁法でアオギスを獲っていたことが記されている。

　そこで，アオギス網漁について触れてみよう。キスの漁に使うキス網には，シロギス網とアオギス網の二つがある（シロギスは現在でも東京湾で獲れる。）。海底に仕掛ける底網である。キス網と言えば，通常シロギス網を指すようだが，浦安ではアオギス網が主流であった。アオギス網の長さは約24〜27メートルである。それを9〜10枚つなげて漁を行った。アオギス漁は干潮に行うという。その網を仕掛けて干潮時に集まってきたアオギスを獲る。船は二人一

組で，一人は網を引いたり出したりの役割，もう一人は操船しながら板をたたいてアオギスを網の方に追い立てる役割だった。アオギス漁は昼間行われ夕方には終了した。浦安の海だけでなく江戸川でも行われ，今井橋あたりまでが漁場だった。

　浦安では延縄漁も行われていた。この漁をアオギス縄と呼ぶ。戦後はシロギス縄が主流化したが，戦前はアオギス縄が主流だった。脚立釣りと同様，夜明けに行った。場所は浦安の東側だった。餌はやはりスナイソメであり，餌を針につけながらアオギス縄を海に入れていった。1つの縄に針が100本くらいついていた。その一バチで多い時は一度に10匹くらい釣れたそうである（1日平均20匹くらいの漁獲である。）。

　水産庁の「豊かな東京湾再生検討委員会」や特別委員会が主導し，1975年（昭和50年）に東京湾から姿を消したアオギスを再び東京湾で生息させるために一時大分・豊前海産のアオギスを放流するという計画が進んだ。2005年（平成17年）11月横浜市で開かれた「全国豊かな海づくり大会」で放流されるところまで決まっていた。しかし，「干潟などの環境整備が先決」「（放流するアオギスと東京湾産アオギスとの）遺伝的差異が十分に検討されていない」「東京湾で絶滅したとする科学的根拠がない」「調査や実現可能性の議論が不十分」（朝日新聞記事を引用）などを理由に日本生態系協会や日本魚類学会が反対の声をあげ，放流は中止となった。いまもアオギスを東京湾で再び見かける機会は訪れていない。

7. 金魚養殖（浦安町誌（上）p.142 他^(注31)）

1）知る人は少ない産業

　平成になってから浦安に引っ越してきた人は浦安に金魚養殖地があったことはご存じなかろう。しかも，大規模養殖場である。昭和40年代に住んでいた方はお分かりになろう。いまや金魚養殖と言えば，弥富市，大和郡山市，長洲町が頭に浮かぶが，かつて関東一と言われた金魚養殖場が浦安に存在していたのである。その浦安の金魚養殖についても簡単に触れてみよう。

2）金魚養殖

　今述べたように，かつて浦安が金魚の大規模産地だったという事実を知る人は少ない。大正後期，猫実に金魚養殖場があった。通称「秋山の金魚場」と呼ばれていた。1922年（大正11年）初代秋山吉五郎（この名前は世襲制。始めたのは初代秋山吉五郎。明治元年生まれ）が猫実の東京湾に面した土地を買い取って金魚養殖を始めた。初代秋山は深川の千代田新田（現在の江東区）で1885年（明治18年）から金魚養殖を始めていた。だが，路面電車の軌道が作られる計画が

（注31）「総面積7万9,000平方メートル（約2万4,000坪）」という説もある。
　「浦安と金魚」松崎秀樹（2021年12月11日確認）
　https://urayasu-18years.net/2013/07/01/%E6%B5%A6%E5%AE%89%E3%81%A8%
　E9%87%91%E9%AD%9A/
　「金魚池風景17. 地曳網で金魚を捕らえる」浦安市郷土博物館収蔵品データベース
　（2021年12月11日確認）
　https://jmapp.s.ne.jp/urayasufkm/det.html?data_id=13775
　浦安市郷土博物館収蔵品データベース（2021年12月11日確認）
　https://jmapp.s.ne.jp/urayasufkm/det.html?referer_id=13775&data_id=65534&data_
　idx=0

立ち，その金魚養殖場の土地が軌道に関する用地として買収されてしまった。そこで彼は当初の金魚養殖場の近くにある浦安に代替地を購入したわけである。千代田新田に初代秋山はまだ未練があったようだったが（戻りたいという気持ちを持っていた），1923年（大正12年）の関東大震災が発生し，東京の下町は大きな被害を受けた。その復興にあたって深川の地について碁盤の目状の再整備計画が立てられ，秋山は深川に戻ることを断念せざるを得なかった。かくして，初代秋山は浦安に名を遺す人物となった。

　浦安の金魚養殖場は，毎年数十万匹の金魚が出荷される大規模養殖場となった。広さが約8ヘクタール（1925年（大正14年））ある金魚養殖場として関東一といわれていた。金魚を養殖する池も1部，2部に分かれており，大塚芳郎から譲渡された1部池は現東小学校付近の2,900坪の広さ，山崎要蔵から譲渡された2部池は現郷土博物館付近の19,400坪の広さだったそうである（計7.36ヘクタール）。

　この立地は，浦安の中でも交通の便が良いとは言いがたい場所であった。ポンポン船は金魚池と反対側の江戸川に到着するので，そこから金魚池まで30分ほど歩かなければならなかった。だが，1934年（昭和9年）に隣接地に遊園地である「海楽園」が開業するとそれが神風となり，海楽園に来た東京からの行楽客が観光がてら，隣接しているこの金魚池に立ち寄るようになった。壮大な金魚池が広がっていれば，それを見たくなるのが人間心理である。金魚池は浦安の観光名所の一つとなった。

　金魚自体は特にアメリカで人気が高く，明治末期から金魚のアメリカへの輸出が本格化した。日本人とアメリカ人との好みは異なっていた。アメリカ人の好みは奇形の品種だったそうである。そこで初代秋山吉五郎は品種改良でアメリカ人好みの「秋錦」を作り出した。秋錦の名前の由来だが，秋山が作り出したのでそう名付けられ

たという説もあれば（松崎秀樹（2013）），「容姿艶麗にして，水清き秋の池上に紅葉を散らしたような美しさ」だからという説もある（浦安町誌　上　p.142）。初代秋山は，このほかにも「キャリコ」「シュウスイ」「ブンキン」などの金魚を生み出し，日本人の好みにもマッチし，全国各地の品評会で多くの賞をとった。初代に負けず，品種改良により2代目秋山吉五郎も，「江戸錦」「京錦」などの金魚を作り出した。このように浦安の金魚養殖は日本国内の需要を満たすだけの産業でなく，外貨を獲得する日本の貴重な産業の位置づけであった。

　東西線の開通による周辺地域の住宅化の進展で1973年（昭和48年）に幕を閉じるまで浦安の金魚池は50年もの間続いた。今となっては浦安での関東一の金魚養殖の事実を知る市民も少なくなって

一口メモ　―地引網―

　秋山玄（初代秋山吉五郎の孫。1931-）のメモがあるのでそのまま紹介しよう（一部改変）。

　「池舟に集めた魚を選り場に運んで選別する。それを『選る』という。選り場では，2人が組んで異種の魚を選び出す。時には数千という魚を20匹ほどずつ選り分けていく。それには体力と根気を必要とする。池替えをせずに魚を捕らえるのに，地曳網を使う。池の周囲には浅いところと深いところ（池替えのときポンプは深いコーナーに設置する）がある。その浅いコーナーに下げてあるホーローにのみ早朝に餌を与え，多くの魚をおびき寄せる。頃合いをみてホーローを取り囲むように地曳網を引く。網を狭めて魚を捕らえる。鯉などの大きな魚は，大きな池に放たれているので，池替えは不可能である。地曳網で捕らえ，そこで選別する。」（（注31）の参考文献浦安市郷土博物館収蔵品データベースより）

　この文を読むと金魚の選別は途方もなく苦労を必要とすることが分かる。総数数千匹に対して，20匹ずつ正確に選り分けるわけである。浦安の金魚養殖はそのような労苦の上に成り立っていた。

いる。だが，かつては浦安の経済を支える大きな柱の一つであった事実は消えない。前述のように，現在金魚池の跡地は東小学校，郷土資料館などとして活用されている。そこに立ち目をつぶれば，広く展開される金魚池が目に浮かぶかもしれない。

8. 結び[注32]

　以上浦安の漁業の歴史をまとめた。浦安は水に囲まれた地域であり，浦安の経済は古くから水に関する産業とは切り離せなかった。偶然にも江戸幕府が近くに開かれ，江戸の町を消費対象として浦安経済は成り立ち始めた。

　浦安漁業の特徴は，海産物資源を絶やさないよう，海とうまく共存して行ってきたことである。海苔養殖にしても，イカのイカ藻漁にしても，資源の枯渇をもたらさない手法で漁業が営まれてきた。

　そうした漁業も本州製紙の排水事件を経て消え去ることとなった。1958年（昭和33年）4月7日，漁民が漁に出ると海の水が黒く色づいていたという。浦安町から江戸川の少し上流にある本州製紙江戸川工場から流れ出た排水で海の色が変わっていたのである。バスを連ねて浦安漁業組合関係者が同6月10日に本州製紙江戸川工場に抗議に行ったところ（宣誓文と決議書を渡しに行った），正門からの入場を拒否され，漁業関係者の一部が工場内になだれ込んだ。投石などを行って抗議したため，警察に何人かが逮捕された。これが本州製紙事件である[注33]。

　このあと，浦安は漁業権の放棄に進んだが（1962年（昭和37年）

（注32）本章全体は，中立的な「浦安町誌」を参考に著したが，ここでの参考文献に浦安サンポは日記的な記述が多く，より浦安の歴史を知りたい人には参照をお勧めする。

（注33）本章ではこの内容に深くは触れないが，関心のある方は関連書物を読まれたい。

一部放棄，1971年（昭和46年）全面放棄），そのまま浦安が漁業の栄えた町であり続けたほうが良かったのか，今のように海を埋め立てテーマパークの町として生まれ変わったほうがよかったのか，そのどちらが良かったのであろうか。極めて判断の難しいところである。

参考文献

2の参考

「浦安市史　まちづくり編」浦安市　1999年

3. 1）の参考

「富津市の歴史Part Ⅱ」（2022年1月27日確認）

　http://archives.kimitsu.jp/InfoLib/Material/2019/05/31/sub15.
　html

3全体の参考

「海苔ができるまで」浦安市郷土博物館　2017年12月（改訂版）

「のり1海苔養殖はいま」浦安市郷土博物館調査報告第2集2004年3月

6.1）の参考

「浦安のシラウオ漁」浦安市郷土資料館調査報告第13集　浦安市郷土資料
　館2018年3月

6.2）の参考

「浦安の烏賊網漁」浦安市郷土資料館調査報告第10集　浦安市郷土資料館
　2017年3月

6.3）の参考

「平成13年度第1回特別展アオギスがいた海」浦安市郷土博物館2001年6
　月

「東京湾のアオギス放流計画，見送りへ」朝日新聞記事2005年04月05日
　（2022年1月7日確認）

　http://www.asahi.com/science/news/TKY200504040275.html

8の参考

「浦安の歴史：本州製紙江戸川工場汚水放流事件」浦安サンポ（2022年1
　月8日確認）

　http://urayasu-sanpo.com/02/accident01.html

第6章 浦安市の財政

新宅 秀樹

(早稲田大学招聘研究員)

1. はじめに

　平成19年(2007年)1月に出された「日本一学」(以下「前著」と表記する。)に,「日本一の行政サービスを支える良好型財政」として浦安市の財政について書かせていただいた。あれから15年が経過した現在,浦安市の財政はどう変化しているのであろうか。今回も各種の指標や民間が行ったランキングを基に述べてみたいと思う。また,現状だけではなく,今後についても言及したいと思っている。その際の視点として高齢化と公共施設の再整備が財政に与える影響について考えてみたいと思っている。高齢化の所では特に社会福祉法人にスポットを当てた。介護事業に限らず福祉全般の現場を担っているのは社会福祉法人,NPO,株式会社など多様な団体である。社会保障費の増大を抑えるためには,これらの団体の運営費を抑えることにもなり,多くの団体が運営に四苦八苦していることと思われる。

　「前著」を書いたときは,浦安市の財政課の職員であったし,現在は社会福祉法人の法人本部で財務を担当しているので,市と社会福祉法人の財務についても書いてみたいと思っている。

2. 浦安市の財政

　昭和56年（1981年）4月1日に市制施行してから7年連続で都市成長力日本一と評価された浦安市も近年は成長が緩やかになってきているようである。実際令和元年（2019年）12月の浦安市総合計画の策定にあたって，市長が次のように述べている。

　「人口減少・少子高齢化など社会環境が大きく変化する中，本市においても，高齢化の進展に伴う人口構造の変化や，昭和50年代を中心に集中的に整備された公共施設の老朽化が進むとともに，埋立地における開発が終盤に入り，まちを開発していく「発展期」から，まちを維持・更新していく「成熟期」へと移行してきて」いる。

　事実，ここ数年は人口が17万人前後で推移しており，かつての人口増の勢いはない。高齢化率は令和2年（2020年）10月1日で17.5％となっており，千葉県の27.1％，国の28.8％に比べてまだかなり低いが，人口の伸びが止まっている現状では今後一気に高齢化の波が押し寄せてくる可能性もあるかもしれない。

　「発展期」から「成熟期」に移行してきているという浦安の状況について財政の指標から検証してみる必要がありそうである。

　まずは，全国の市の中で浦安市がどのような位置にいるのか，東洋経済新報社が毎年発表している財政健全度ランキングの状況を見てみよう。各年6月時点で全国の市町村を対象に順位を算出しているもので，算出指標は「収支」，「弾力性」，「財政力」，「財政基盤」，「将来負担」の5つの視点から，20のデータを用いて算出されている。

　浦安市は，令和2年（2020年）が11位，令和3年（2021年）が

22位，令和4年（2022年）が48位と年々順位を下げている。平成
30年（2018年），令和元年（2019年）はともに全国5位と評価されているので，近年の下落傾向は確かにあるのかもしない。

　内容を見ると，「弾力性」，「財政基盤」，「将来負担」の視点で順位を下げていることが全体にも影響しているようである。「弾力性」は経常収支比率や公債費負担比率など，「財政基盤」は人口増減率や生産年齢人口比率など，「将来負担」は将来負担比率や地方債残高などのデータから計算されているようである。これらの指標の一部については後ほど紹介しよう。

　ちなみに近隣市で上位にあるのは，東京都武蔵野市で，各年とも4位である。愛知県の刈谷市，みよし市，安城市の3市がこの3年間は上位3市を占めている。

　以下，さまざまな財政指標などの状況を見てみよう。

3. 各種の財政指標

1）財政力指数

　財政力指数とは，総務省の説明では「地方公共団体の財政力を示す指数で，基準財政収入額を基準財政需要額で除して得た数値の過去3年間の平均値。財政力指数が高いほど普通地方交付税の算定上留保財源が大きいこととなり，財源に余裕があるといえる」ということである。要は読んで字のごとく自治体の財政の力がどの程度あるかを表す指標で，高いほど財政力があるということである。この指数が1を超えると普通地方交付税が交付されない。浦安市の令和2年（2020年）度決算の数値は1.52で武蔵野市と並んで市の中では全国1位で，相変わらず浦安市の財政力が強いことを証明している。3位は茨城県神栖市1.41，4位愛知県みよし市1.40，5位愛知

県豊田市1.39となっている。

　財政健全度ランキングの「財政力」の視点でも，財政力指数により浦安市は1位となっている。

　「前著」では，平成17年（2005年）度の状況について説明しており，その年度の浦安市の財政力指数は1.60で全国5位であった。1位は愛知県豊田市1.73，2位愛知県碧南市1.72，3位武蔵野市1.63，4位成田市1.63であった。平成23年（2011年）度以降豊田市は一時大きく落ち込み，平成26年度（2014年）は1.04までになったが，最近はまた上位を占めている。

　一方，浦安市は1.5前後で推移しており，その間大きな変化がないことから安定した歳入が確保できていることが分かる。

　この数値が1を割ると普通地方交付税の交付対象となるが，浦安市の税収が100億円以上減る事態にならない限り交付団体にはならないので，個人市民税など市民からの税収が中心となっていることを考えると，事実上今後も普通地方交付税が交付されるということはないであろう。

2）個人市民税

　財政力指数のところで浦安市は安定した歳入が確保できていると述べたが，その要因は個人市民税が歳入の大きな柱となっていることである。昨年度の所得に一律6％の税率で課税される個人市民税所得割はそのまま市民の所得水準を表すものと言えそうだ。

　令和2年（2020年）度の浦安市の所得割は173億3,993万円余となっており，税収の47.3％を占めている。令和2年（2020年）1月1日の住民基本帳人口の17万169人を使って市民1人当たりにすると10万1,898円である。令和元年（2019年）度は9万9,161円，平成30年（2018年）度は9万8,345円となっており，

ここ数年は若干であるが上昇傾向にある。

　財政力指数が同率の武蔵野市は，令和2年（2020年）度が179億5,202万円余で，人口14万6,871人の市民一人当たり額は12万2,230円，令和元年（2019年）度12万180円，平成30年（2018年）度11万9,992円となっており，浦安市よりも市民の所得水準が高いことが伺われる。

　前著では，平成15年（2003年）度の状況を比較しているが，1位が兵庫県芦屋市で12万3,870円，2位武蔵野市10万5,594円，そして3位が浦安市で9万610円であった。

　ちなみに，令和2年（2020年）度の芦屋市の市民1人当たりは13万762円で，相変わらず1位をキープしている。

3) 財政調整基金積立額

　財政調整基金とは年度間の財源の不均衡を調整するための積立金で，財源が足りなくなった場合などに使われるもので，令和2年（2020年）度の積立額は76億1,806万円余となっている。平成25年（2013年）度に186億9,238万円余を最高に平成元年（1989年）度から100億円を下回ることがなかった財政調整基金も令和になって下回ってしまった。積立額の適正基準があるわけではないが，現在進行中の新型コロナウイルスのような災害時等では通常の予算では対応が難しいので，積立額が相当額あれば対策が立てやすいということにはなる。ただ自治体の会計はその年度の歳出はその年度の歳入で賄うことが原則であるので，その年度に必要な施策をせずにただ残高を増やせばよいというものではない。

　武蔵野市も59億6,786万円余で市民一人当たり4万421円，浦安市が4万4,834円で同じような水準である。

4) 地方債現在高

　地方債はよく借金と同じ意味で使われることがあるが，地方自治体は原則国と違って赤字だから借り入れをするということはできない。令和4年（2022年）度の当初予算を見ると，地方債の活用先の主なものは斎場拡張事業，ごみ処理施設延命化整備事業，富岡中学校改修事業などで，公共施設等の整備に充てられている。斎場や学校などは，現在の市民だけが利用するものではない。将来の市民も利用するものであるから，現在の市民と同様に返済に係る負担をしてもらおうという考えである。

　令和2年（2020年）度の地方債残高は355億542万円余（新型コロナウイルスの影響による猶予特例債36億円余を含む。）となっている。前著の平成16年度残高が341億円だったので同じ水準のように見えるが，平成25年（2013年）度に164億円まで減ってきた後，平成26年度以降また徐々に増えてきている状況である。

　武蔵野市は117億8,117万円で一人当たり8万円弱，浦安市が20万円強となっている。前著では，武蔵野市が21万円，浦安市が26万円だったので，両市とも減ってきているのが分かる。

　財政健全度ランキングで「将来負担」の視点には，この地方債残高のデータや将来負担比率などのデータが用いられているので，浦安市は482位となっており，全体のランキングを下げている。

　後の公共施設のところでも触れるが，地方債が多いということはそれだけ公共施設が充実しているということとも言える。例えば，市民が多く利用している大型の公民館が地区ごとに設置されているのは浦安市の大きな特徴の一つだと言えると思うが，これも地方債の活用があってのことである。

　なお，「将来負担比率」という用語が出たが，平成19年（2007年）に北海道夕張市が財政破綻したことをきっかけに，破綻する前

の段階でイエローカードを出して財政の健全化に向けて取り組むために，いくつかの指標ができたうちの一つである。地方債だけではなく実質的に地方債と同様なものも含めて将来にどの程度の影響を与えるのかを算定するものである。令和2年（2020年）度の浦安市の将来負担比率は38.5％である。この数値が350％になると早期健全化対策を講じなければならなくなるが，浦安市は独自の基準を設けて210％の段階で対策を講じることとしている。

5）経常収支比率

　経常収支比率とは自治体財政の硬直度を表す指標とされるもので，市税などの一般財源が人件費や事務経費などの経常的な経費にどの程度使われているかを見るものである。地方財政白書では，「地方公共団体が住民からのニーズに的確に応えていくためには，毎年支出が必要になる義務的経費に充てる財源に加えて，社会経済や行政需要の変化に適切に対応していくための施策に充てる財源を確保していくことが必要」とされている。令和元年（2019年）度の地方自治体全体の経常収支比率は93.4％で，16年連続で90％を超えているとのことである。

　令和元年度の浦安市の経常収支比率は86.9％となっており，全国平均よりもある程度下回っている。令和2年度は89.6％で2.7％増えている。ランキングの「弾力性」はこの経常収支比率や自主財源比率などのデータを使っているので，全国41位となっている。ちなみに平成30年（2018年）度は5位，令和元年度は11位だったので，年々順位を下げている状況である。

　前著では，平成15年（2003年）度の数値を記載しており，全国平均が87.4％，浦安市が78.1％であった。

6）まとめとして

　以上財政指標等から浦安市の財政を概観したが，財政力は依然として市として日本一の水準を保っており，前著から15年以上が経過する中で，財政調整基金が減少している点を除けば，相変わらず財政的に全国でも飛びぬけた市と言えるであろう。財政健全度ランキングが年々下がってきてはいるが，行政サービスを維持するためには地方債等の活用は今後も必須になってくると思われる。そういった面からは財政力は全国一であっても，将来負担の視点からは現在の状況よりも悪化していく傾向にあると思われる。平成11年度の地方債残高が472億円余と最高になったときの公債費（元利償還金）は平成19年度に50億円を超した。令和2年度の公債費が37億円弱なので，今後は金利の上昇等も考えると財政負担は増していくことになりそうである。

4．成熟都市浦安

　令和2年（2020年）度の財政状況からはまだまだ全国的にも良好な市であり，衰えを感じさせてはいない。本当にこれからの浦安は今までの浦安と変わるのであろうか。まず高齢化の問題を見てみよう。

1）高齢化
① 高齢化の進展
　かつて浦安市は日本一若い街と言われていた。では，現在の又今後の高齢化率はどうなっているのであろうか。令和2年（2020年）度の国勢調査から見ると浦安市の高齢化率は17.5％で千葉県54自治体中一番低い状況である。前回の平成27年度の国勢調査は15.9

％でこの時も千葉県下では一番低い率となっている。

　今後の推移を見ても，上昇傾向にあるものの全国平均からはかなり下回った予想となっているようである。このようなデータを見ると，高齢化の進展は全国どの自治体も同じ課題を抱えており，浦安市だけの問題になっているわけではないように見える。

　ところが浦安市には他の自治体には見られない特徴がある。それは市内の生活圏域で大きな差があることである。浦安市は市を4つの圏域に分けており，それぞれの高齢化率を見ると，元町が13.96％，中町北部が30.33％，中町南部が23.42％，新町が12.84％，市全体が17.91％（令和3年4月）となっている。

　令和4年版の高齢社会白書によると令和3年10月1日の国の高齢化率は28.9％であり，中町北部は国を超えている。また，より細かく見てみると，美浜3丁目は高齢化率44.3％，75歳以上の後期高齢者の率でも23.3％（令和4年4月1日）となっており，国の2065年までの将来予測においても想定できない高齢化率となっている。

　高齢化の進展によって財政に影響が出るのは，歳入面では税収の減少，歳出面では医療や介護などの社会保障費の増大だと思われる。

　介護保険，後期高齢者の特別会計歳出額の平成27年（2015年）度と令和2年（2020年）度決算の5年間の変化を見てみると，介護保険が58億5,000万円から71億3,000万円と22％増，後期高齢者が10億7,000万円から17億1,000万円と60％増となっており，市の負担はこの内の一部ではあるが，大変大きな伸び率となっている。

　また同様に市の高齢者に係る老人福祉費の支出額も比較してみると，平成27年度が25億3,600万円余に対し令和2年度が30億

8,400万円弱と22%程度伸びている。

　高齢化の進展が市の財政負担を増すことは間違いないようだ。

② 社会福祉法人と地方自治体

　社会福祉法第60条で特別養護老人ホームなどの第一種社会福祉事業の経営は社会福祉法人，国，地方自治体に限定されている。これは主に入所施設である第一種社会福祉事業の経営主体が倒産や撤退などにより事業が継続できなくなることを防ごうという趣旨だと考えられる。ところが近年社会福祉法人の倒産や合併という事例が見受けられるようになっている。浦安市でも1か所経営主体が変更した特別養護老人ホームがある。倒産した場合でも，今までのところ別の社会福祉法人が引き受けているので，入所者に大きな迷惑はかかっていないと思われるが，引継ぎに空白が生じたり，後継法人が出なかったりした場合は自治体が最後の砦となるしかないかもしれない。私の杞憂ならばいいが，赤字の特別養護老人ホームを引き取る余裕のある社会福祉法人は少なくなってきており，地方自治体が何らかの財政負担をしないと運営できなくなる事態が生じてくると考えている。

　そこで社会福祉法人の財政についても見てみよう。

③ 社会福祉法人の会計制度

　社会福祉法人の設立に当たっては，所轄庁（都道府県や市町村）の認可が必要であり，運営面でも様々な法令の規制がある。会計についても社会福祉法第44条第1項及び第3項の規定に基づいて社会福祉法人会計基準が定められている。

　この会計基準は地方自治体の現金主義会計とは異なり，原則，企業会計と同様複式簿記が採用されている。企業会計の損益計算書に相当する事業活動計算書には費用として減価償却費も当然計上され，施設等の更新のための情報も財産目録に記載されている。それ

は，土地，建物，構築物，車両運搬具，器具及び備品，有形リース資産など個々の資産ごとに取得価額，減価償却累計額，貸借対照表価額が一覧として記載されている。

　現在，すべての地方自治体は，現金主義による予算・決算制度を補完するため，「今後の新地方公会計の推進に関する研究会報告書」（平成26年4月30日）に記載された統一的な基準に基づいて，複式簿記・発生主義による財務書類を整備している。しかし，形式だけを整えた感じで，十分に活用されているとは言い難い感じがする。

　浦安市は平成13年（2001年）12月に企業会計的手法を導入した財務報告書を他市に先駆けて公表してきた。平成27年（2015年）度からは統一的な基準により財務書類を公表しているが，以前に附属情報として公表していた資産の取得価額等の情報が記載されていないようである。公共施設の再整備等の情報としては必要なものと思われる。

　また，財務書類の監査についても問題があると思われる。社会福祉法人については，平成28年（2016年）の法改正により，会計監査制度が導入されている。これは，経営組織のガバナンスの強化，事業運営の透明性の向上を目的としたものである。特に収益が30億円超又は負債が60億円超の法人は「特定社会福祉法人」とされ，会計監査人としての公認会計士又は監査法人による外部監査が行われている。いずれは収益10億円以上の社会福祉法人が対象となる予定となっている。しかしながら，監査法人による監査を導入するためには，その法人にとって財政的にも人的にも相当な負担となるため，本来ならば収益20億円超の社会福祉法人がすでに監査対象となっているところ導入が見送られている。

　一方，地方自治体は中核市以上の自治体には外部監査が義務付けられているが，一般市には義務付けられていない。

いずれにしろ，財務書類を公表するに当たっては，信頼性を担保するためにも公認会計士の監査が必要ではないであろうか。社会福祉法人が実施できていることを考えれば，通常の地方自治体であれば問題なく導入できるはずだと思われる。

④ 社会福祉法人の倒産

　倒産はしないと考えられている社会福祉法人であるが実は毎年のように倒産している。今後は倒産件数が増えるだろうと予測する人もいるようである。

　実際，独立行政法人福祉医療機構の調査では，特別養護老人ホームの赤字施設は，次の図表6-1のとおりである。

　従来型とユニット型は，部屋が従来型は主に4人部屋なのに対しユニット型は個室である一方，居住費が割高になるなどの違いがある。厚生労働省は2025年度までにユニット型を定員の7割までにすることを目標としているが，平成29年（2017年）度で43.6％にとどまっている状況である。

　いずれにしろ，特別養護老人ホームの3割は赤字で，今後も増加する恐れがあるということである。介護職員の不足により部屋は空いていても利用者を入居させられないという施設もあり，介護報酬を上げればいいというような話ではないようだ。

　2018年に倒産した社会福祉法人の例では，特別養護老人ホーム

図表6-1　特別養護老人ホームの赤字施設

年　度	従来型	ユニット型
2018年度	33.8%	29.1%
2019年度	34.0%	28.2%
2020年度	35.2%	29.0%

は他の法人が引き継いだが，自治体や議会も巻き込んで大変な騒ぎとなった。地方自治体が運営を引き継ぐノウハウはもはやないので，引受先を何が何でも見つけなければならない。結局一番の犠牲者は入居者となりそうである。

⑤ 市直営の介護施設

　浦安市に直営で運営している介護保険施設がある。通常は民間の団体が運営しているので，市の財政に直接的な影響は出ないのであるが，直営のため市の持ち出しともいえる支出が出てきている。平成30年（2018年）度が4億8,500万円余，令和元年（2019年）度が2億5,100万円余，令和2年（2020年）度が1億8,900万円余となっている。特に財政負担の大きいのが特別養護老人ホームである。

　浦安市での最初の特別養護老人ホームが開設したのが平成11年（1999年）で，介護保険制度がスタートした平成12年（2000年）の前年であった。現在ならば市が建設し運営を委託することは考えられないであろう。多く見られるものは，社会福祉法人が自治体の公募を経て，自己資金，補助金，借入金等で建設し，運営は介護保険収入で賄うというものである。

　仮に，社会福祉法人が倒産し，市が引継法人に運営を委託する場合は，上記のような負担をする可能性も出てくるかもしれない。

　また，施設の維持管理や修繕も大きな課題である。令和2年（2020年）度に7億1,000万円余の空調設備改修工事を行っているが，取得費がほぼ79億円となっているだけに今後の改修費も高額になる恐れがある。

　なお，これ以降に建設された市内の特別養護老人ホームは社会福祉法人が建設運営をしている。

2) 公共施設の老朽化

① 公共施設の状況

　昭和56年（1981年）4月1日の市制施行以降に整備された主な公共施設（図表6-3）を見ると，すでに大規模改修等を実施した施設もあるが，改修工事を実施していかなければならない施設が多くある。今後は新規の施設建設が減る反面，すでに稼働中の施設の改修が毎年度増えていくことが予想される。

　また，浦安市の地方債残高が同規模の市と比較して多額になっているのは，これらの公共施設の充実ぶりが挙げられる。前に公民館を例に挙げたが，各地区に大型の公民館が整備されている市はそれほどないのではないであろうか。人口や税収が増えていった時期においてはそれほどの負担とならなかった施設整備も，税収がそれほど伸びていかない時期のリニューアルは確かに浦安市の財政に大きな痛手を与えるかもしれない。

　例えば，取得価額についてみると，運動公園総合体育館が92億円余，屋内水泳プールが40億円余，特別養護老人ホームが79億円弱と3施設だけでも212億円にもなっている。同程度のものを維持更新するとなるとリニューアルに要する金額が相当なものになることが想定される。

　そこで，ここ5年の当初予算で2億円以上地方債を活用する改修の事例を見てみよう。

図表6-2　最近5年間の当初予算で2億円以上地方債を活用する改修

単位：千円

年　度	改　修　事　業	地方債借入額
令和4年度	富岡中学校改修事業	229,200
	総合体育館大規模修繕事業	207,100
令和3年度	しおかぜ緑道改修事業	220,800
	富岡小学校改修事業	295,400
令和2年度	入船保育園建替等事業	878,000
	浦安小学校屋内水泳プール改修事業	202,900
	見明川中学校改修事業	203,600
	美浜公民館大規模改修事業	574,200（前年度含）
	特別養護老人ホーム等空調設備改修事業	711,200
令和元年度	中央図書館大規模改修事業	1,729,700（前年度含）
平成30年度	南小学校屋内運動場建替事業	712,900
	浦安中学校大規模改修・増築事業	1,160,000（前年度含）
	中央公民館大規模改修事業	684,400（前年度含）

　これらの施設は主に昭和58年（1983年）から昭和62年（1987年）までに建設されたものである。図表6-3を見るとこれ以降も大型の施設が続々と建設されているので，改修事業が今後も続くものと思われる。

図表6-3　昭和56年（1981年）4月1日の市制施行以降に整備された主な公共施設

年	主な公共施設
昭和56年	文化会館開館，入船中学校・東小学校・入船南小学校開校
昭和57年	舞浜小学校開校，堀江公民館開館
昭和58年	中央図書館開館，美浜北小学校開校，富岡公民館開館
昭和59年	富岡中学校開校

昭和60年	美浜中学校開校，中央公民館開館
昭和61年	市役所臨時庁舎開設，第1期埋立地区の192路線を第1次道路認定
昭和62年	美浜公民館開館，中央公園・美浜公園・若潮公園を千葉県企業庁より帰属
昭和63年	消防署堀江出張所開所，日の出小学校開校，総合福祉センター開設，第1期埋立地区74路線を第2次道路認定
平成元年	新浦安駅第1自転車駐車場整備，新浦安駅・舞浜駅の駅前広場完成
平成2年	しおかぜ緑道完成，運動公園テニスコート開設，第1期埋立地区96路線第3次道路認定
平成3年	中央武道館開館，運動公園多目的広場完成，シンボルロード完成
平成4年	運動公園冒険広場完成，墓地公園開園
平成5年	運動公園メインプロムナード・モニュメント完成，仮設少年サッカー場整備
平成6年	日の出中学校・明海小学校開校
平成7年	墓地公園納骨堂開設，運動公園総合体育館開設，クリーンセンター完成
平成8年	仮設高洲球技場整備，当代島公民館開館
平成9年	市民保養所蓼科山荘開設
平成10年	日の出公民館開館
平成11年	特別養護老人ホーム，健康センター開設，屋内水泳プール開場，郷土博物館完成
平成12年	郷土博物館屋外展示場完成，高洲海浜公園企業庁より帰属
平成13年	青少年館・子育て支援センター開設
平成14年	高洲小学校完成，文化会館・南小学校大規模改修，おさんぽバス運行開始
平成15年	障がい者福祉センター完成，北部小学校大規模改修
平成16年	斎場，浦安駅前保育園・浦安駅前高齢者デイサービスセンター，日の出南小学校完成，若潮公園再整備
平成17年	新浦安駅前プラザ，千鳥学校給食センター，青少年交流活動センター，明海南小学校完成，明海の丘公園等の帰属

平成18年	弁天ふれあいの森公園整備
平成19年	明海球技場整備，消防本部署庁舎完成
平成20年	総合公園帰属整備，老人福祉センター・北部小学校増築完成

② 公共施設等総合管理計画

　浦安市は所有するすべての公共施設等が市民サービス向上に役立つような有効活用を図るため，令和4年（2022年）度から令和43年（2061年）度までの40年間を計画期間とする公共施設等総合管理計画を改定した。

　この計画の中で，公共施設等の大規模改修・修繕や更新に係る費用を試算している。1年間当たりの費用は，単純更新した場合は約136億円，長寿命化等対策をした場合は約114億円が必要とのことである。

　このため，基本的な耐用年数60年を超えて改修等を行いながら75年の利用を目指すなどとする長寿命化の実施方針，地区別の人口分布や年代別の人口推移から，利用需要を把握し，行政が提供すべきサービスの見直しを行い，施設の用途変更などを検討する統合や廃止の推進方針などを打ち出している。

　いずれにしても，年間114億円の改修事業費は補助金を活用できたとしても40年間継続することは大変難しいことだと思われる。とは言え，浦安市の魅力の一つは公共施設の充実ということも事実なので，単純に廃止するという訳にもいかないであろう。浦安市の財政を考える上でも悩ましい問題である。

5. 今後の浦安

　高齢化の進展や公共施設の建替え等により財政負担が増え，今後

の浦安の財政は厳しくなる可能性があることを述べさせてもらった。人口も一次開発がほぼ終了し、新規の大型マンションの開発もなくなった状況では頭打ちであろう。市民税も給与所得の納税義務者が85％程度と圧倒的に多い浦安市では、リタイア後は一気に所得が下がることが想定されるし、近年はふるさと納税による影響も看過できない状況となっている。ふるさと納税については、10億円に近い額が浦安市の個人市民税から他の自治体に流出しているようである。これだけの金額があれば給食費の無料化など新たな施策が十分できる。地方財政制度をこれ以上いびつにしないためにも早急な是正を国は考えるべきである。

　一方、私が住んでいる地区では、空き家と見られるものが増えてはいるが、新築の戸建も増えている。高齢化が著しい中町地区であるが、築年数が40年超となってもマンションの売買価格はそれほど下がっていないようである。楽観的に考えると、新町地区が高齢化するときには中町地区の若返りが図られ、長期的に見ると浦安市民全体の年齢はそれほど変わらないということになるかもしれない。また、かつてショッピングセンター跡地にタワーマンション建設などとの噂もあったが、二次開発によってまだ人口も伸びる可能性がある。そのためにも、市民一人ひとりが浦安市をどういう街にしたいかを考え、いつまでも魅力を持ち続ける市にする必要があるだろう。

　海辺の開放も進んでいるし、新町のマンションはまるでリゾートマンションのようなところもあり、ワーケーションにぴったりのように思える。総合公園をより魅力ある海浜公園に、境川をコペンハーゲンのニューハウンのようになど空想の羽を広げてみるのも面白いものである。

　浦安の持っているポテンシャルを十分生かせばただ老いを待つの

ではなく再生を図る道が開けるのではないだろうか。成熟都市の魅力を発揮してもらいたいものである。

参考文献

「日本一学　浦安編」水野勝之編著　創成社　2007年
「都市データパック　財政健全度ランキング」東洋経済新報社　各年
「地方財政状況調査関係資料　市町村決算カード」総務省ホームページ
「地方財政白書」総務省
「高齢社会白書」内閣府
「浦安市の財政に関する報告書」浦安市
「浦安市公共施設等総合管理計画」浦安市

第7章　インバウンドとテーマパーク日本一

厳　慧雯　（早稲田大学大学院社会科学研究科）

康　　璐　（早稲田大学大学院社会科学研究科）

張　政軼　（早稲田大学大学院社会科学研究科）

土門　晃二（早稲田大学社会科学部教授）

1. はじめに

　インバウンド観光客から見た浦安市は，成田国際空港と首都東京の間にあり，また羽田国際空港にも隣接し，アクセスに関しては非常に都合の良い場所にある。かつては漁村であった地域を埋め立て，東京湾奥の土地の有効活用が議論になり様々な遊園地誘致の話は出ていた。その中で，米国以外で初めてのディズニーランドの計画が出てきて，1974年に本決まりになる[注34]。OLC（Oriental Land Company）は，清水市と舞浜のベストサイトを確保できたが，ディズニーの経営陣は「富士山をバックにどっぷり浸かってもらうのは無理だ」と考えた。富士山を背景にしたパークでは，人工的なディズニーランドにどっぷり浸かることができない，というディズニーの経営陣の意見もあり，清水市は見送られることになった。このような葛藤と変化が，東京ディズニーランドを日本人に愛されるものにし，また，日本らしさを持ったユニークなディズニーランド

（注34）谷本明子（1998）

155

として，世界中の人々を魅了することになった。

　ここでは，東京ディズニーランドが世界の他のディズニーランドとどのように違うのか，文化的な面，施設的な面を含めて，インバウンド観光客にとっての魅力について具体的に見ることにする。

2. ディズニーのブランド文化

　ディズニー（Walt Disney Company）は，1923年にウォルト・ディズニーによって設立された巨大な映画・テレビ会社で，世界中に複数の映画配給ブランドを持ち，その商業活動はコンテンツ制作だけでなく，保有する多くの人気タイトルから発展した周辺機器の販売や，ディズニーランドなどのプロジェクトも存在し，大きな収益をもたらしている。2021年，ディズニーの売上高は674億1,800万ドル，時価総額は2,500億ドルを超えている。このブランド価値は，ビジネスだけでなく，独自の企業文化にも表れている。ディズニーパークは，この文化の最高のショーケースである。この文化は，ディズニーの経営陣と従業員が共有している[注35]。

　ディズニー文化は「すべての顧客（ゲスト）に幸せの提供」で，その具体化として，①ファミリーエンタティンメント（子供から大人まで楽しめるパーク），②パークは一生完成しない（継続的追加投資を行い常に新鮮），③毎日が初演（接客従業員（キャスト）は毎日初演の気持ちで演技），④すべてのゲストはVIP（パークのパーティへの招待客）のパーク運営基準で運営し，キャストの行動規範をもつ。その行動規範は以下の表の通りである。

（注35）Paris Disneyland HP

図表7-1　ディズニーの企業行動規範

Safety（安全第一）	外敵と内敵から完全に守られていて，無菌で清潔な場所である。警備，消防，医療施設を自前で設置すること。
Courtesy（ゲストへの配慮）	すべてのゲストはVIPとして扱い，キャストはアイコンタクトとスマイルでゲストに友好的に接し，ゲストの質問に答え，可能であれば，ゲストを目的地まで案内すること。
Show（ショー）	キャストの働く場所が舞台で，キャストはその舞台のふさわしい衣裳（コスチューム）を付けた俳優として，ゲストに継ぎ目のないエンターティンメントを提供すること。
Efficiency（効率）	入り口は一箇所，パスポート入場券システム，ファストパス制度などゲストのためのもののほか，分単位のアトラクション操作の標準化，キャストのシフト，ローテーションの標準化，バックステージの効率化を含んでいる。

出所：中西（2011）より作成

　さらに，キャストは，マニュアル（標準作業手順といわれ，機械操作が主だが，挨拶，笑顔，ディズニールックなど）でサービスの7-8割はカバーし，ゲストのニーズに気配りし1対1で対応する自発的ホスピタリティ・サービスでゲストをもてなして，ゲストに「感動体験」を与えて高いリピート率（米フロリダのマジックキングダムは約8割）を維持している[注36]。

(注36) 中西純夫（2011）

3. 世界のディズニーパーク

　ディズニーカルチャーの発信地として，現在，世界には6つの主要なディズニーランドがある。1955年にカリフォルニア州ロサンゼルス市アナハイムにオープンした世界最大のディズニーランド，アジアで最初のディズニーランドである日本の東京ディズニー，ヨーロッパで最初のディズニーランドであるフランスのパリディズニー，6つのうち最も小さなディズニーランドである香港ディズニー，最も新しく現在アジアで最大のディズニーランドである。

・カリフォルニア州のディズニーランド

　カリフォルニア州アナハイムに位置し，1955年にオープンした世界初のディズニーランドで，2つのテーマパーク（ディズニーランド・カリフォルニア，ディズニー・カリフォルニア・アドベンチャー），3つのテーマホテル，ディズニータウンを有している[注37]。

・オーランドのディズニーランド

　オーランド・ディズニーランドは，1971年にフロリダ州にオープンした，世界最大のディズニー・リゾートである。現在，4つのテーマパーク，2つのウォーターパーク，30のテーマホテル，ディズニータウン，複合施設「スポーツワールド」などがある[注38]。

・パリのディズニーランド

　1992年にオープンしたディズニーランド・パリは，現在，ヨーロッパで唯一，世界で4番目，海外では2番目のディズニー・リゾートで，ディズニーランド・パリとウォルト・ディズニー・スタジ

（注37）Disneyland HP
（注38）Walt Disney World Resort in Orlando, Florida, HP

オ・ランドの２つのテーマパークと７つのテーマホテルで構成されている[注39]。

　1980年代，ディズニーはアメリカ市場で十分に浸透し，東京ディズニーランドの驚異的な成功を受けて，最適な市場成長を達成するためにさらなる世界進出が必要であると考えた。ディズニーは，４つ目の遊園地を建設する地理的条件を決定し，ヨーロッパにした。1987年，200以上の候補地を検討した結果，パリが選ばれた。正確には，パリから32キロメートル離れたフランスのニュータウン，マルヌ＝ラ＝ヴァレにテーマパークを建設することになる。この場所が選ばれたのは，その美しさと歴史だけでなく，ヨーロッパにおける重要な位置にあり，列車，飛行機，車でのアクセスが容易であったためである。当時は，車で２時間以内の距離に1,700万人，６時間以内の距離に５億人以上が住んでいたが，2004年には６億人近くがその距離に住んでいた。テーマパークは，広大な交通網の中枢に位置するものと考えられた。パリとはRER（フランス国鉄の地域急行列車）で結ばれ，パリとパリを結ぶ郊外鉄道が敷設される予定であった。また，フランスやヨーロッパの主要地域とは，高速道路A4で結ばれ，1994年６月には高速鉄道も計画されていた[注40]。

・香港のディズニーランド

　1997年に計画が発表された香港のディズニー・テーマパークは，アジア金融危機後の地域経済活性化のために行われる最も重要な政府プロジェクトの一つと考えられていた。９カ月にわたる詳細な交渉の末，香港特別行政区（HKSAR）政府とWalt Disney Companyが，香港ディズニーランドとリゾートの計画について予

（注39）Paris Disneyland HP
（注40）Jonathan（2010）

備的合意に至った。ランタオ島のペニーズ・ベイに建設されるこのテーマパークは，香港政府の費用224億5,000万香港ドル，36,000人の雇用創出，40年間で1,480億香港ドルの地元経済への直接投資を見込んでいた。香港政府は，このプロジェクトがコストを上回る利益をもたらすと確信し，2001年11月に建設を承認した^(注41)。

　2005年にオープンした香港ディズニーランドリゾートは，世界で5番目，中国では最初のディズニーであり，1つのテーマパークである香港ディズニーランドと3つのテーマホテルで構成されている^(注42)。

・上海ディズニー

　上海ディズニーランド・パーク（Shanghai Disneyland Park）は，中国で2番目，アジアで3番目，世界で6番目のディズニー・テーマパークである。2009年1月，ウォルト・ディズニー・カンパニーが上海市政府と共同で，浦東に世界で6番目のディズニーランドの建設計画を正式に発表した。1月中旬，上海政府は両者の協力関係を認め，上海ディズニーランドは2011年4月8日に245億元を投資し，5年後の完成を目指して正式にオープンした。2016年6月16日には，中国本土で初のディズニー・テーマパーク，中国のサービス業における最大級の海外協力プロジェクトであり，純粋なディズニースタイルと中国らしさを兼ね備えたテーマパークの公式オープンを迎えた^(注43)。

・東京ディズニー

　東京ディズニーランドリゾートは1983年にオープンし，アメリカ大陸以外で初めてのディズニー・リゾートであり，世界で3番目

(注41)　Terence and Philip（2011）

(注42)　上海迪士尼（2015）

(注43)　上海迪士尼（2015）

に建設されたディズニーランドである。東京ディズニー・リゾートには、「東京ディズニーランド」と「東京ディズニーシー」の2つのテーマパークがある^(注44)。

　東京ディズニーランドは日本で大きな人気を集めたテーマパークの一つとして、毎年、多くの観光客を集めている。その成功の原因について、中西（2011）は米国ディズニー文化の東京ディズニーランドへの受容について調査した。その調査の結果、二つの観点が得られた。一つ目は、このディズニーランドはアメリカと違って、聖地巡礼の対象ではなく、日本最大の大衆消費娯楽空間であること。二つ目は、東京ディズニーランドはアメリカ文化の学習の場として受容されてもいるが、基本的には日本的コンテクストの受容・独創にあることを指摘している。結論として、東京ディズニーランドの成功要因は主に二つある。まず、ディズニー文化の日本的解釈である。日本文化との融合によって日本の消費者に受け入れやすくなっている。また、ディズニー文化を基本とした五つの理念により、顧客へ「思い出に残る感動体験」を提供することである^(注45)。

4. アメリカのディズニー文化と東京ディズニーランドの独自性

　アメリカのディズニーでは、新規採用従業員はディズニー大学の教員に「会社の伝統、哲学、組織、ビジネスの方法」を教えられる。その後、経験豊かな先輩と組み、それぞれの役割を学ぶ。ディズニーは従業員の選別と教育を徹底し、秘密保持と管理に固執し、世界の子供たちの生活にとって特別で重要な会社だという神話とイ

（注44）東京ディズニーランドホームページ

（注45）中西純夫（2011）

メージを注意深くつくりあげている[注46]。

　東京ディズニーランドは，アメリカのディズニー文化に，たくさんのローカルな要素を加えている。　東京ディズニーランドは，ウォルト・ディズニー・カンパニーが所有・運営していない唯一のディズニーランドである。株式会社オリエンタルランドが独自に運営・管理し，ディズニー社はライセンスと収益の分配のみを担当している。　創業以来，年間入場者数3,000万人を超える最もうまくいっているディズニーランドであるだけでなく，リピーター率も90％を超えている。東京ディズニーランドでは，12,000点以上のグッズを販売しており，そのうち東京ディズニーランドオリジナル商品は約2,500点で，年間売上の約3分の1を占めている。東京ディズニーランドの商品デザインは，季節に合った商品を取り入れるほかに，日本文化の要素を取り入れている[注47]。これが，東京ディズニーランドの商品をより魅力的にして収益にもつながっている。

　また，パークデザインの面では，東京ディズニーランドのパークプランはアメリカのオーランド・ディズニーランドを忠実に再現しているが，細部のデザインには日本独自の繊細さや創造性を反映したものが多く存在する。日本のサービスを体験しながら，おとぎ話の世界にどっぷりと浸かることができる。そのため，東京ディズニーランドには，世界各国から多くの人が訪れている。OLCが示した数字によると，東京ディズニーランドへの外国人来場者の割合は年々上昇し，新型コロナウイルスの影響を受ける前の2019年には10％を超え，30万人近くの外国人来場者が訪れている[注48]。東京ディズニーの魅力に惹かれ，浦安に遊びに来る外国人観光客も増えて

（注46）中西純夫（2011）

（注47）本宝研究院（2017）

（注48）OLC Group ゲストプロフィール.OLC Group

図表7-2　ディズニーランドのゲスト一人当たり売上

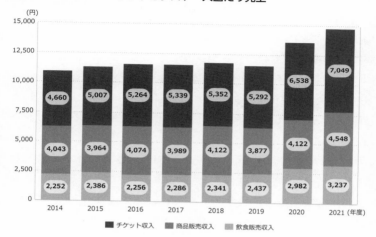

出所：OLC Group　ゲストプロフィール
http://www.olc.co.jp/ja/tdr/guest/profile.html

図表7-3　東京ディズニーランドのゲスト数データ（単位：千人）

時間	ゲスト人数	外国ゲスト比率	外国ゲスト数
2013	31,298	3.9%	1,221
2014	31,377	5%	1,569
2015	30,191	6%	1,811
2016	30,004	8.5%	2,550
2017	30,100	9.8%	2,950
2018	32,558	9.6%	3,126
2019	29,008	10%	2,901
2020	7,560	0%	0

出所：OLC Group ゲストプロフィールより作成
http://www.olc.co.jp/ja/tdr/guest/profile.html

いる。

　中国最大の検索エンジン「百度」の統計によると，中国観光客は
東京ディズニーランドに大きな関心を寄せている。1日の検索回数
も多く，検索人気は東京旅行よりもさらに高くなり，日本旅行の約
半数に達している。つまり，日本旅行に興味を持つ中国人2人に対
して，1人は東京ディズニーランドに興味を持っていることになり，
外国人にとっての東京ディズニーランドが魅力的であることが分か
る[注49]。

　中国の人気旅行プラットフォーム - Mafengwo.com の旅程統計
によると，海外旅行の旅程のうち，日本を目的地とする旅程の総数
は47，関東地方を目的地とする旅程は16で全体の34%を占め，
東京ディズニーランドを含む旅程は6で関東地方の中で38%を占
めている。これは，東京ディズニーランドが日本訪問の重要な選択
肢の一つになっており，多くの中国人観光客に愛されていることを
示している。

図表7-4 「東京ディズニーランド」,「日本旅行」,「東京旅行」検索量の比較

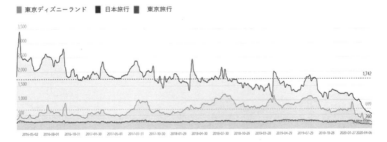

■ 東京ディズニーランド　■ 日本旅行　■ 東京旅行

出所：Baidu 検索指数より作成

（注49）Baidu検索指数：「東京ディズニーランド」,「日本旅行」,「東京旅行」検索量の比較

図表7-5　ディズニーランドがある旅行コースの比率

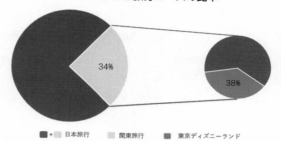

■+ ■日本旅行　■ 関東旅行　■ 東京ディズニーランド

出所：Mafengwo.comのデータより作成

5. 外国人が語る東京ディズニーの魅力

　海外からの観光客にとって，東京ディズニーは大変魅力的な場所である。訪れる人を魅了する東京ディズニーのさまざまな特徴に対して，漫途ACGTOUR（2017）は，次のようにまとめている。

・**舞台設定と雰囲気**：お城や火山，川や庭，座席の配置やビンなど，ディズニースタッフとゲストが楽しく交流できるように，パーク全体が丁寧にデザインされている。例えば，行列が長すぎると，スタッフが時々雰囲気を代えるため「ストーリーブック」の中のおもちゃの兵隊が来て，ゲストと交流しディズニー気分を十分に味わってもらう。

・**サービス**：東京ディズニーのスタッフはとても優秀で，ゲストが困っているときに真っ先に駆けつけて解決してくれる。閉店時間を過ぎても，スタッフは辛抱強く，笑顔で手を振りながらすべてのゲストが帰るのを待つ。

・**食事**：東京ディズニーのレストランでは，新鮮な食材を使い，ボリュームがあり手頃な価格で提供しており，トレフォイルケーキ

などの名物料理もある。

- **パレード**：東京のフロートパレード「ドリームライト」は，雨の日専用のパレードで，日本ならではの細やかな配慮もあり雨の日ならではの体験ができる。
- **お土産**：東京ディズニーでは，各アトラクションの特徴を取り入れた洗練された形状のお土産をデザインし，しかも手頃な価格なので幅広い年齢層の消費者に好まれている。

以上の点から，浦安がディズニーランドという特殊な立地条件により，外国人観光客に人気のある都市，さらには日本一の都市になったことがよくわかる。

6. おわりに

世界にあるディズニーランドの中で，東京ディズニーランドの特徴をインバウンド旅行客の観点から見てきた。ディズニーアニメ・映画に魅了されて来る旅行客にとって，他のテーマパークとは異なった魅力を持っていることがわかる。特に日本に来るアジア系のインバウンド旅行客にとって，浦安市にある東京ディズニーランドは代表的な目的地になっている。これは，日本人旅行客にも当てはまり，浦安市民にも多くのリピーターが存在することがそのことの証明でもある。

ディズニー・コンテンツによるこのような現象と同様なことが，世界中に普及した日本アニメでも起こっており，日本アニメの舞台になった場所の聖地巡礼は，若いインバウンド旅行客の主要目的にすらなっている。彼らにとって，秋葉原に象徴されるサブカルチャーの中心地とその近くにある東京ディズニーランドなどの相乗効果で，これからも浦安市の魅力は一層高まるに違いない。

参考文献

＜和文＞

1. 谷本明子（1998）「テーマパークと地元地域への影響：千葉県浦安市と東京ディズニーランドを事例として」『お茶の水地理』39, pp.121-122.

2. 東京ディズニーランドホームページ：ディズニー公式｜Disney.jp（閲覧日：2022年8月1日）

3. 中西純夫（2011）「東京ディズニーランドにおけるディズニー文化の受容」『千葉大学人文社会科学研究』22, pp.151-166.

4. OLC Group ゲストプロフィール．http://www.olc.co.jp/ja/tdr/guest/profile.html（閲覧日：2022年8月1日）

＜英文＞

5. Disneyland HP. https://disneyland.disney.go.com（閲覧日：2022年8月1日）

6. Hong Kong Disneyland HP. www.disney.cn/10141.html（閲覧日：2022年8月1日）

7. Matusitz, Jonathan. (2010). Disneyland Paris: a case analysis demonstrating how glocalization works. Journal of strategic marketing 18 (3), pp. 223-237.

8. Paris Disneyland HP：Disneyland Paris - tickets, deals, family holidays｜Disneyland Paris. https://www.disneylandparis.com/en-usd（閲覧日：2022年8月1日）

9. Tsai, Terence, and Liu, Shubo Philip. (2011). Disneyland in Hong Kong - Green Challenge (A). Asian case research journal 15 (2), pp.177-200.

10. Walt Disney World Resort in Orlando, Florida, HP. https://disneyworld.disney.go.com（閲覧日：2022年8月1日）

＜中文＞

11. Baidu検索指数「东京迪士尼」，「日本旅行」，「东京旅行」搜索量比較．https://zhishu.baidu.com/v2/main/index.html#/trend（閲覧日：2022年8月1日）

12. 北京青年报（2015）「上海迪士尼乐园揭秘融合迪士尼体验和中国元素」http://epaper.ynet.com/images/2015-07/16/A12/bjqb20150716A12.pdf（閲覧日：2022年8月1日）

13. 本宝研究院（2017）「海外唯一一家盈利的迪士尼乐园，东京迪士尼有哪些不为人知的秘密」http://mb.yidianzixun.com/article/0GOkRRG7?s=mb&app.id=mibrowser&ref=browser_news（閲覧日：2022年8月1日）

14. 上海迪士尼（2015）「上海迪士尼发展历史」http://www.disneycompany.cn/shdisney/ShowArticle.asp?ArticleID=16（閲覧日：2022年8月1日）

15. 漫途ACGTOUR（2017）https://zhuanlan.zhihu.com/p/29649292（閲覧日：2022年8月1日）

第8章　浦安のイノベーション

水野　勝之

（明治大学商学部教授）

1. はじめに

1）イノベーション

　イノベーションはよく聞く，見る言葉である。技術革新と訳す。読んで字のごとく，技術が新たに生み出されて置き換わっていくことを意味する。イノベーションが起きることによって，社会が変わっていく。技術革新で分業制が確立したイギリスの産業革命では社会が激変し，それが弾みになって今日までの先端的経済社会が築かれてきた。

　しかし，イノベーションでは，人の仕事が機械の仕事に変わる。人が作業していた内容を機械が効率的に行うようになる。よって，人の仕事も奪われることになる。イノベーションが起きることは労働者にとって職を失うピンチなのか。失業者があふれ，我々は職に就けなくなってしまう心配があるのか。産業革命のころはラッダイト運動というイノベーション反対運動が起きた。織物の作業などが機械に奪われれば労働者に給与が入らなくなるからである。

　経済社会の機能はよくしたもので，イノベーションが起きると大量失業が発生して不況に陥るという現象は起きていない。その理由

は，イノベーションで消え去る仕事以上にイノベーションで生み出される新しい仕事のほうが多いからである。その現象を創造的破壊と呼ぶ。雇用構造を破壊はするけれど，それ以上の雇用を創造するという意味である。p.16の経済学者ヨーゼフ・アロイス・シュンペーターという学者が唱えた概念である。なるほど今日まで，イノベーションは経済の発展はもたらしても後退は引き起こしていない。大量失業は経済の事情によるものでイノベーションのせいではなかった。創造的破壊を特徴とするイノベーションこそ経済を成長させる原動力となってきた。

2) 広義のイノベーション

イノベーションの本来の意味は，いま述べたような技術革新であった。だが，多くの分野での変革をイノベーションという言葉で表す流れになってきた。生活，文化において変革があればそれはイノベーションと呼べる。環境という言葉が，本来の自然環境だけでなく，社会環境，教育環境，……と広い使われ方をされているのと同じである。この場合は，広義のイノベーションと解釈できる。本章では，狭義の技術革新を中心に説明するが，一部広義のイノベーションも取り上げることとする。

3) 浦安のイノベーション

イノベーションは地域経済の活性にも役立つ。世界経済，国全体の経済を変革していくのに役立つのであるから，当然イノベーションは世界，国のレベルだけでなく，地域のレベルでも経済を変えていく。地域経済のイノベーションの場合，その地域での技術開発というより，新しい技術を地域経済に取り入れることを意味する。テクノロジーだけでなく，地域の場合従来の方法を変革したことも広義の

イノベーションととらえることができる。政策の転換もイノベーションのひとつである。地域イノベーションこそが地域を成長させる。

　さて，浦安市にもこれが当てはまる。本章では，浦安でのイノベーションを具体的に取り上げる。浦安は，テーマパーク関連，鉄鋼団地，市民経済の3つから成る複合経済である。その浦安にいかなるイノベーションがあるのか，そしてそれは地域経済にどのように寄与しているのかを見ていくことにしよう。

4) イノベーションの課題

　当初イノベーションは労働者に脅威をもたらしていた。イギリスの産業革命当時（1811年），今述べたラッダイト運動といって，「一人の労働者がかつては200人の労働者によって生産された量の糸を生産することを可能にした紡績機のような新しい労働節約型機械に対して」[注50]労働者たちが反対活動を起こした。だが，それは杞憂に過ぎなかった。これまでのイノベーションは創造的破壊によって，失われた仕事に対してより多くの新たな仕事を生みだしてきた。イノベーションは人類の味方であった。

　ところが，現在の第4次産業革命と言われるICT，AIなどによる今回のイノベーションは，その進展後本当に労働者を必要としなくなってしまうかもしれない。その恐れから，労働しなくても一定給与を国が給付するベーシックインカム（労働しなくても毎月（？）国から給付が受けられる）の議論が出ている。浦安も積極的にイノベーションを進めるべきであると同時に，今回のイノベーションの危険も少し頭の片隅に置きながら地域経済を成長させていく必要がある。

（注50）The Core Term（2017）The Economy,Oxford, ユニット16部分水野訳一部
　　抜粋

5) DX

　最近DXという言葉が頻繁に使われる。コマーシャルでも，何の説明もなくDXという言葉が使われている。自分以外の人はみなその意味を知っているように思えるので，恥ずかしくて他の人に聞くに聞けない。このような気持ちでいる読者の方も多かろう。

　簡単に言えば，我々がアナログでこなしていることをデジタル化していくことをデジタルトランスフォーメーションと言い，DXと略す。菅義偉内閣の肝いりで2021年9月にデジタル庁が生まれ，世界にも負けないデジタルのイノベーションが始まるかと思ったら，当初マイナンバーカードの普及に力を入れていた。多くの国民が，マイナンバーカードを多くの分野で使えるようにする方針だという。ちょっと違うんじゃないかなと思ったのは筆者だけであろうか。筆者はGAFAなどのデジタルを駆使した世界のトップ企業が日本に生まれないことを問題視しているが，その理由が分かったような気がする。とにかく日本政府は少しピント外れである。その言い方が失礼だとすれば，日本政府は，小さな視野ではピントが合うが，大きな視野ではピントが合わないと表現しよう。近年日本の中のデジタル化の流れが加速的に速いのであるが，なぜか世界には後れを取ってしまっている。（岸田文雄内閣の河野太郎デジタル大臣の今後には期待したい。）

　大きな技術変革期の今，企業内でも地域でも家庭内でもDXは進めていくべきである。それが遅れることにより，日本が世界に追いつけないように，企業も他企業に追いつけなくなるし，地域も他地域に追いつけなくなる。第一，日本人が最新のイノベーションの便利さを享受できない。地域でもDXを積極的に実現していかないと，世界に負けて，他の企業や地域にも負ける，2段階の負けになる恐れがある。いまや地域もDXを積極的に進めるべき時代である。

　今述べたように，日本はイノベーションが立ち遅れている。技術力は高いのにイノベーション競争に出遅れてしまっている。日本が得意とした半導体も台湾や韓国が主流となり，今世界が本格的に需要しているときに，一緒に需要側に回ってしまっている。つまり，日本はイノベーションで世界を凌駕できる人材を育てられなかった。

　思い起こすに，21世紀に入って大学教育も大きく変わった。20世紀は大人数の教室で教授側が一方的に授業を行い，終了時間になると授業を終えた。学生の理解度など関係なかった。その形態の授業を続けていくと社会に役立つ学生が育成できないということで，国を挙げて大学教育の大幅な改革を進めてきた。20世紀のように受け身ではなく，学生が主体となって能動的に考える教育が行われるようになった。地域で学生たちが生き生き活動する姿を見た人も多かろう。

　だが，皮肉なことに，学生を放ったらかしにしていた20世紀のほうが日本はイノベーション力，経営力が格段に高かった。教育改革が進んだ21世紀においては日本はイノベーションに立ち遅れている。アメリカのような経済界の大物の出現には程遠い状況である。だが，この矛盾を指摘する者はほとんどいない。教育改革がうまくいったならば，いま世界をイノベーションでリードする会社が次々に日本に登場していいはずである。それがない。大学が授業を一方的に行い，学生たちは大学の授業にも満足に出席していなかった時代のほうが，優秀なイノベーション人材を多く輩出できていた。

　この矛盾を解決する必要性を訴える人もいないし，実際に行っている人もいない。21世紀は中国にもGDPで抜かれ，日本は3位に落ち着いてしまっている。こじんまり収まっている。「さあ2位を目指して中国を抜き替えそう」という声は聞かれない。この「こじんまり感」を打破するためには，イノベーションの在り方をもう一度考え直す必要があろう。

2.　浦安のDX

　技術進歩とともに地域においてもDXが進んでいる。本章では浦

安におけるDXについても述べていこう。民間および公共施設で
DXがどれほど進んでいるかを具体的に見ていくことにする。

1）民間DX

① デジタルサイネージ

「防犯用大型ディスプレイ」が浦安の東西線浦安駅，JR新浦安駅，
JR舞浜駅の主要駅前に設置されたのが10年以上前。その間に技術
が進み，防犯だけでなくさまざまな情報が見られる大型ディスプレ
イが新築の市役所に設置されたのが2016年（平成28年）。2020年
4月時点では前記主要3駅に駅に新型のディスプレイが設置され稼
働をしている。こうした映像式の電子案内板のことを「デジタルサ
イネージ」と呼ぶ。東西線浦安駅では，下り線ホームを乗降するお
客の目に入る仕組みである。次の電車を待っているときなど，（ス
マホを見ない人には）退屈しのぎとなっている。情報の提供者，情報
を受ける側の両方にとってメリットのある存在となっている。ま
た，駅前のデジタルサイネージでは，地図，施設までの案内（多言
語対応），行政・イベント情報，バス乗り場，バス時刻表など幅広
い情報が見られるようになっている。

② スーパー木田屋のデジタルサイネージ

デジタルサイネージは，民間のスーパーマーケットでも実験的に
導入された。それはスーパー木田屋で導入された（筆者が見学に行
った2021年11月4日では終了）。NTT東日本などとの連携で導入し
たという。スーパーの店内に大きなディスプレイが置かれ，その中
にキャラクターが登場する。そのキャラクターがお客に店内の商品
の説明や販促を行ったりする仕組みだ。特にコロナ禍では，客が商
品の情報を知るのに店員に聞かずに済み，安全な情報提供形態であ
ったと思われる。木田屋などによれば，この試みによって次の4点

を実現するという（NTT東日本HPより引用）。

1. お客さま及び店舗スタッフなど従業員双方への新たな店舗環
   境の提供。
2. ICTを活用した遠隔応対環境の整備により，勤務地や勤務時
   間等の労働環境における制約・条件を緩和する他，ソーシャル
   ディスタンスを確保することによる新型コロナウイルス等の感
   染症拡大防止。
3. 従来のAIを活用した人的稼働の置き換えではなく，実際の
   オペレーターがカスタマイズ可能なアバター（キャラクター）
   を活用することによるインタラクティブな対話により，小売業
   等を中心とした接客業務において応対品質を維持。
4. 本サービスに追加機能として実装されているデジタルサイネ
   ージ機能を活用した店舗内周知（販売促進PR等）と，バーチャ
   ル店員を活用した接客販売を通じた販売促進（売上向上）。

カタカナばかりで一般人には厄介な文言である。筆者なりに少しわ
かりやすく説明してみよう。

　1については，従業員にとって自分が商品の宣伝をしたり説明を
しなくても，デジタルサイネージ内のキャラクターがそれらの説明
をしてくれるし，お客にとっては，商品を棚に並べたりしている忙
しい従業員の手を煩わせるより，キャラクター（遠くにいるオペレー
ターがキャラクターに扮する）に説明してもらったほうが気楽である。
また，デジタル機器が入って古めかしいスーパーマーケットのスタ
イルが変わるという印象効果も発揮できる。

　2について，新型コロナ禍ではお客に接して懇切丁寧に店員が説
明するわけにはいかない。1メートルから2メートルのソーシャル
ディスタンスをとらなければならないからである。その点，お客が

機械の画面を見ながら説明を受けるのは全く問題がない。頻繁に消毒さえしておけばよい。感染面で，お客，店員双方にとってメリットがある。

　3については，遠くにいるオペレーターがそのディスプレイ上ではキャラクターに変身してしゃべるのである。筆者も動画作成の学内ベンチャーを経営していたことがあるが，13年間関わっているうちに，動画の世界のイノベーションが進んだ。人がキャラクター化されて，青い背景の前で人が動けばそっくりにキャラクターが動くソフトが開発された。よって，オペレーターは顔を出さずに，キャラクターで擬人化され，お客に対応できる。怒っているお客もこの対応だと心が落ち着くであろう。

　4については，デジタルサイネージとして新たな手法で店内の商品の宣伝ができる。野菜だったら，シールやラベルではなく動画で産地の説明も含められる。独自に動画を作りそれを流すことで商品の情報をお客に伝えられる。いまやユーチューブなどの全盛時代。生産者がユーチューブ技術で動画を作ってそこで流せばよい。録画を流すだけでなく，生産者が生出演して商品を宣伝することもできる。前述の3にも関連するが，顔を出すのが嫌な生産者はキャラクターの格好で説明すればよい。顔の見える生産者が求められる時代もより一層進化し，画面上のキャラクターを通して生産者の真心を消費者に直接伝えることができる時代となった。

　もし一般の会社の受付にこの機器を置いたことを考えよう。訪問者が受付にあるディスプレイのボタンを押すと（他の部屋にいる社員が）キャラクターの格好で接客してくれることになる。もちろんその社員は他の部屋か，あるいは遠くの地域の同社にいてもよい。受付専門の人は東京の本社にいて，日本全国の支社の受付にこの機器を置いた場合，札幌の支社に訪れた人がディスプレイのボタンを押

せば東京の受付のプロの社員が接客する。会社にとっても効率的である。その彼，あるいは彼女が受付の画面上でキャラクター化して接客してくれる。会社側のメリットは，その社員も受付の席で次の訪問客が来るまでじっと座って待っているわけではなく，その合間に他の業務もできることである。訪問客側のメリットは，堅苦しくなく話せることである。受付の人が真剣な顔で応対すると，訪問客側も緊張する。そこにキャラクターが登場すれば心がなごむ。その後実際に約束の人と会う時も和んだ気持ちで臨むことができよう。

　木田屋の実験についてイメージとしてはわかっていただけたであろうか。まだ導入実験段階なので当事者たちも初期に想定した計画の下で実施しているに過ぎない。実験を通して起こりうることを調査したのであろう。JR東日本がスイカを導入する際，改札のタッチの手段を想定してのみの開発だったという。しかし，いまや，彼らも想定していなかった電子マネーとしての機能を発揮している。当初の目的よりも幅広い活用がなされるのが新技術である。実験を通してより多くの活用法が見いだされるのではないか。この仕組みが生み出す他のアイデアはいくらでもあろう。それを考えただけでもわくわくする。スーパー木田屋の社会実験が大きな成果を生むことを望む。

2) 浦安市役所DX

　浦安市役所の中でもDXの試みが進められている。民間だけでなくお役所のDXは市民サービスや税金の有効利用に直結する。ここでは，市役所のDXによるイノベーションの試みを見ていくことにしよう。

① Uモニ

　浦安市役所が市民からの声を拾う方法としてUモニがある。U

モニとは，浦安市インターネット市政モニター制度の略である。Ｕモニに登録した市民（市内在住・在勤・在学の16歳以上の人）にインターネットやメールで市役所がアンケートを送って，それに回答してもらうというシステムである。いわゆるインターネットによるアンケート調査のシステムである。2010年度に導入された。本を執筆したり論文を書く際，筆者も一般の人が自分が書いている案件に対してどのように考えているのか知りたくなることがよくあるが，簡単に聴く手段がない。授業の学生に聞く以外調査がなかなかできないのである。市役所はこうした自分たちの不便を解消できるよう，Ｕモニシステムをいち早く導入し活用した。2021年9月3日現在1,101人の市民が登録している。市民が登録すると，市役所の各課からアンケートが送られてくる。部署が違うのでさまざまなアンケートが送られてくるが，簡単に答えられるようになっているので負担が少ない。なんとこれに応えるとポイントがたまるシステムになっている。一定ポイントがたまると，抽選で景品がもらえると

一口メモ

　筆者が2021年11月4日に木田屋北栄町店に実際に見学に行ったときには撤去されていた。本文通り実験的なものだったのであろう。その代わり，小さなディスプレーがあり，木田屋が運営している植物工場での野菜作りが紹介されていた。VERTIFARMという。木田屋の次から次に行うイノベーションには感銘を受けた。これについては別の機会があればその時触れることとする。

　木田屋北栄町店の顧客は，高齢者と若者が混在している。より平均年齢が若い地区であればより大きな実験結果が得られたかもしれないし，逆に，そうした地区は店にディスプレイを置かなくても顧客がスマホで情報を集められてしまうかもしれない。先端技術の実験の難しさがうかがえた。

のこと。市役所にとっても市民の声が聴ける，市民にとっても自分の意見を市役所に伝えることができる，しかも景品がもらえるかもしれないという，双方にとってメリットのある制度である。「ウィンウィンの関係」という言葉がよく似合う。

　筆者が調べた時点で，2010年度に始まって2021年9月までに133件のアンケートが実行されていた。1年あたり約10件のアンケートがとられていた。2021年度の9月までを例にあげれば，次のようなアンケートである。

・ゼロカーボンシティに関するアンケート集計結果および分析（環境部環境保全課）
・図書館における電子書籍の利用に関するアンケート集計結果および分析（生涯学習部中央図書館）
・ひきこもりに関するアンケート集計結果および分析（福祉部社会福祉課）
・認知症のイメージに関するアンケート集計結果および分析（福祉部高齢者包括支援課）

各回とも登録者の約51％の人たちが回答している。浦安市の課題に対して浦安市民のとらえ方を調査する便利な方法になっていると言える。

　Uモニは市役所にとって有効な手段ではあるが，いくつかの問題もはらむ。第1は，インターネットのモニター登録者には偏りが生じるということである。筆者もインターネットアンケートを活用したいと思ったが，研究論文に使うのに躊躇している。インターネットアンケートの回答者の目的の一つが自分のポイント収集であり，そのため統計に偏りが出てしまうからである。データに偏りがあると，正確な状況を把握できないことになる。インターネットアンケート調査業者が公開した調査結果を見たことがあるが，70代の人

たちの趣味を尋ねたアンケートの第1位は「パソコン」，一番欲しいものの第1位も「パソコン」だった。読者も違和感をもつと思うが，一般のシニアの人たちはさすがにそうではないだろうと思われる。だが，最近の研究論文でもインターネットアンケートを活用して分析する例が多々見られるようになってきた[注51]。統計学の教科書にある「データの偏り」という概念の重要性も時代とともに薄れて言っていると思われる。2021年の衆議院選挙の事前世論調査で，多くのマスコミの調査で与党が苦戦という予想が出ていたのに，ふたを開けてみると与党が善戦した。このように，アンケート調査慣れしてきた一般の人々の回答は信頼性が乏しくなってきている。

さて，浦安市のUモニもやはり登録者に偏りがあるかもしれないが，大手のメディアでさえアンケート調査に失敗しているのだから，それを追求しすぎても仕方ない。ただ，アンケート調査の偏りは頭の片隅に置いておくに越したことはない。浦安市に積極的に意見を言いたい人，浦安市のポイントに関心のある人，インターネット作業が得意な人，10数問の問いに根気よく答えられる人，その時間が取れる人，アンケート調査に自分から積極的に登録する意思や意識のある人，……。こうした人たちがモニターになっている。こう考えると，やはり回答者の偏りがないとはいいがたい。例えば，上記の「図書館における電子書籍の利用に関するアンケート集計結果および分析」の中では「電子書籍」に関する質問を盛んに

（注51）学界でも，インターネット調査の活用について学会によっては賛成しないところもある。インターネットを活用して収集したデータを使って筆者たちが関東社会学会で下記の報告した際，「社会学会ではインターネットのアンケート調査のデータを学会としてはまだ認めていないのではないか」というコメントをいただいた。もっともな意見であった。

　井草剛，水野勝之「医師社会の特異性からなる年休未取得の構造」第65回関東社会学会大会（於日本大学）2017年6月3日。

行っているが，電子書籍はインターネットや専用の機械などで見るものである。インターネットを使う人たちを対象に尋ねているので，一般の市民とは異なる結果になっていることが推測できる。「浦安市民のインターネットを使う人」に特定されたアンケート結果になるであろう。アンケート結果を公正に使うためには，統計の実施側が，アンケート調査結果の問題点を把握したうえで解釈していくことが必要になろう。

　第2は，前述のアンケートの回答者は約51％と書いたが，例に挙げたアンケートの上から各アンケートへの回答率（登録者に対しての回答率）は，51.8％（ゼロカーボンシティ），51.2％（図書館），51.5％（ひきこもり），53.0％（認知症）というようにほぼ一定である。毎回同じ人たちが回答している可能性も高い。環境，図書，福祉の問題を毎回同じ人たちに聞いて意味があるのかという問題がある。民間のマーケティング調査でいえば，同じ人たちに，化粧品，自動車，介護サービス，太陽光発電などの多岐にわたる分野の商品のアンケートをとるようなものである。同じ人たちに何回も異なる質問をする方法をパネルデータという。同じ質問を定期的にして，その人たちの変化を見るわけだ。しかし，浦安市のUモニの現状は異なる質問を同じ人ばかりにしている。この人たちの回答が浦安市民全体の意見とはなりにくい。1回ごとに回答者がシャッフルされないと正確な回答とはなりえない。

　ただし，これらの問題指摘に関して，Uモニ制度を否定するわけではなく，こうした問題があることを念頭に入れて活用すればよいと考える。そもそも「モニター」として決めている一部の人たちに尋ねるやり方自体は通常の方法なので，今回ここで挙げた問題点を考慮しながらその結果を参考にするというのは間違いと断定するほどのものではない。浦安市もこの点については当然理解の上このU

モニを活用しているのであろう。調査結果の公表においても，回答した人たちを「浦安市民」とは言わず「モニター」と呼んでいる。専門部署の人たちだけで良かれと考えるよりも，批判点などが分かるというメリットもある。

　統計関係の学者として，1,000人規模のUモニは，積極的に高い評価を与えたいイノベーションではないが，あって良いイノベーションである。Uモニ自体の問題点を検証し改善するのにも役立つからである。Uモニの現状の解決策は簡単である（ただし実行は難しい）。大幅に登録者数を増やすことである。

② GIS

　我々一般人にとってはGIS（Geographic Information System）という言葉になじみがない。しかし，近年行政や企業にとってもっとも重要な手法の一つとなっている。国土地理院のHPによれば，「地理的位置を手がかりに，位置に関する情報を持ったデータ（空間データ）を総合的に管理・加工し，視覚的に表示し，高度な分析や迅速な判断を可能にする技術」だそうである。例えば，地図上である町をいくつかの地区に分割し，各地域で1年間に交通事故が何件発生したかを色の濃さや棒グラフで地図上に示すことができる。我々はそれを一目見れば，町のどこの地域が危険かがただちにわかる。

　浦安市でも導入されている。小泉和久（後述参考文献内HP）には「高齢化率と運動機能低下該当者の地図」が例示されてる。浦安を町名で区切った地図上に，高齢化率が高く運動機能低下該当者が多く住んでいる地域が色の濃さで表されている[注52]。なるほど一目瞭然である。それを見ると，浦安市の真ん中あたりがベルト状に真っ

（注52）棒グラフも併記されているが，残念ながらここでは説明がないのでその意味が
　　分からない。

赤である。それよりも南の（海岸沿いの）部分は薄いピンクである。北の部分はその中間の朱色。ということは，中町にあたる地域の高齢化率・運動機能低下該当者が突出しているということである。これ以外にも，定点的に○○がある場所を印で示すこともできる。「消火栓や防火水槽」についても浦安市内でそれが設置されている箇所が示されているなど配置を見える化してくれる。市長選の投票率が地図内に地域ごとに数字で記されているので，どこの地域の投票率が高いか低いか一目瞭然である。このように地図の中の色，印，数字等で地域ごとの特性を表す手法はかつて手作業で行ったものだが，いまやコンピュータが瞬時に行ってくれる。これがGISの特長である。

　20世紀中は個別の事項の地図を別々に手作りしていた。ICT技術が伴わないので仕方がなかった。浦安市役所での本格導入は21世紀になってからである。市民に公開されている防災マップや水害ハザードマップもこのシステムの一環で作られている。犯罪情報提供システムとの連動も図られている。市民向けには，「震災時には，災害対策本部における被災状況の把握，仮設トイレや給水所設置などの生活復興支援作業の状況把握に活用し，これらの情報を市民向けに情報提供も行った」（国土交通省国土政策局国土情報課HP）。また，前述の高齢化の進行の分布に加え，保育園の待機児童数，救急出動の際の現場到着まで5分以上要した事案数，児童・生徒数の推計値などを地図上に記載できるという。市役所の中で使われているだけでなく市民にも公開され情報の共有化の有力な手段となっている。

　ただ，課題もあるようだ。小泉和久氏資料によると，彼は市役所内でこのGISをより一層活用してほしいと願っている。浦安市役所には情報公開できないような個人データが山積されている。その膨大な個人秘密データを生かせば市民に役立つサービスにつなげら

れる。GISで個人の秘密を公開するわけではなく，その特性を地図化させて市民に提供すればよい。特殊詐欺被害数，窃盗事件数，不審者出現数，シングル家庭数などはどの地域がどれほど分布しているのかが明示できる。個人には迷惑をかけない。しかし，資料に基づくとGISを利用できる人材が市役所ではまだ育っていないようだ。専門家である必要はない。一般的な職員であっても使いこなせる。そのためにはGISを動かす勉強をしなければならない。GISの重要性を知ってもらいそれを生かせる人材が増えることが望ましい。今常識化されているビッグデータ。その膨大なデータを生かせる方法の一つがGISである。市役所内でGISを活用できる人材を育成する必要がある。

　図書館などで端末を用意して市民が（公開可能なデータを使って）GIS機能を使えるようになるとよい。市役所のDXだけでなく，浦安市全体のDXが進むことになる。日本はこの点が苦手である。集めたデータをお役所で抱えがちになる。せっかくのデータであるから，そしてせっかくのシステム（GIS）であるから市民も使えるようにすれば市民にとってもデータの特性を地図の上で見ることができ便利である。市民には企業も含まれるので，企業にとっても，ひいては地域経済にとっても便利であろう。

　浦安市役所および浦安市のDXの一つの有力な手段はここで挙げたGISの有効活用であろう。データの見える化にはさまざまな方法があるが，地図の上でわかりやすく特性が分かるように表示されるのは市民にとっても便利である。数字を見るのも嫌だという数学嫌いの人たちにとっても便利である。浦安はコンパクトな地域なので，その活用の多様さが期待できる。参考文献にも載っている小泉和久氏のGISを広げていきたいというコンセプトに賛意を表する。浦安市での活用の幅を広げてほしい。

③ 快適性入力システム

　2016年に新市庁舎が完成した後，浦安市は環境省のライフスタイルイノベーションの事業の一環としての実験を行った。ライフスタイルイノベーションとは「低炭素型社会の実現に向けた新たなライフスタイルをとらえ，NEB（Non Energy Benefit）という新たな指標を用いながら，それを促進していこうとする取組み」（環境省HP）である。高断熱性住宅・エコリノベーション，空調制御，パッシブクーリング，緑化空間，地域資源，エコマルシェが柱として挙げられている。これらの難しい言葉を解説しよう。高断熱性住宅・エコリノベーションとは，「住宅建築時やリフォーム時に，壁や床，天井などの断熱効果を高めることにより，エネルギー効率を上げるとともに，健康や生産性等，暮らしの質を向上させる」（前掲HP，以下同様）ことである。空調制御とは，「家庭の電力や室温，快適さを把握する仕組みを用いて空調を最適に制御することで，快適性を保ちながら省エネを実現する」ことである。パッシブクーリングとは，「散水や外気，風，生垣などをうまく組み合わせて家や街を冷やし，エネルギーに頼らない方法で快適さを保つ」ことである。緑化空間とは「まちに緑化空間を増やすことで，光熱費削減につながるとともに，散歩の頻度増や睡眠の質向上，ストレス緩和にも役立つ」ことである。地域資源とは「木質バイオマス等の地域資源をエネルギー源として利用することで，地域へと経済効果を波及させるとともに，住民の地域に対する評価や帰属意識が向上する」ことである。エコマルシェとは「地域の特産品を販売するマルシェを開催することで，省エネとともに地域経済の活性化や健康増進も同時にはかる」ことである。舞浜３丁目では毎週木曜日午前中に集会場近くでマルシェが開催されて便利である。これらを通して，環境共生型社会の実現，低炭素分野に対する投資・消費行動の活発

化，自立・分散型エネルギー社会コミュニティの再生，低炭素・資源循環・自然共生政策の統合的アプローチによる社会の構築を目指す（同HP）という。

　さて，難しい話は終わりにして，浦安市役所ではこのうちの空調制御の実験を行ったという。2016年に新庁舎が完成した際，省エネかつ労働環境改善のための実験が行われた。筆者は大学で授業を行っているが，教室内で学生が座る位置によって暑かったり寒かったりとさまざまである。空調の吹き出し口からの暖冷気が直接当たる位置と，それに直接は当たらない位置があるからだ。いくら空調の温度を調節しても一つの教室の中で暑いという人，寒いという人が混在してしまう。苦情があるごとに温度調整をすることになるが，新たに他の苦情が出て吹き出し口からの風による体感の違いがなくならない。結局，不快な思いをしている人たちを犠牲にせざるを得ない。また，その人たちに対して暑すぎたり寒すぎたりする状態とは空調が強いことも意味し，燃料を使いすぎている状態である。省エネにも反していることになる。

　浦安市役所で行われた実験はこの格差をなくすための実験であった。暖冷房をかけたときに当該の部屋にいるすべての人が快適に過ごせるようにするための実験であった。具体的には，1月から2月のこの実験期間（2017年1月23日〜2月10日）に，フロアで仕事をする対象職員106人に対して「暑い，寒い，ちょうどいい」の3択のメールを1日3回送った。それを受け取った職員はどの位置の人たちが暑いのか，寒いのか，あるいはちょうどいいのかを席の配置図上に明示できる。場所によっての寒暖の体感が可視化される。それを参考に施設管理者が空調をコントロールするという仕組みである。この実験の目的は，フロアで仕事をする職員の人たちの快適さを維持することのみではなく，暑すぎ寒すぎを防ぐことにより省エ

ネを達成することでもある。実験期間の最後の数日（2月6日，8日），実際にエネルギー消費が抑制でき，かつ職員の快適性も保たれるという結果が出たという。目標としていた「快適性が高く，エネルギー消費量が小さい」ことが達成された。

　ただ，この実験では，施設管理者が暑い人，寒い人，ちょうどいい人の配置図を見ながら人が空調をコントロールした。その点がアナログであった。これだと施設管理者の労力が大きく長続きはしないし，市庁舎全館を対象にこのシステムを稼働できない。このアナログ的な労働部分をAIで制御できるようにすればまさに本格的イノベーションと言えよう。これまでのAIと違い，今後のAIは進化し，空調の各出口の強弱についてきめの細かい対応を図ることができるようになる。この実験はそれが可能だとする第1歩を示した。この悩みは浦安市役所の建物に限らず，多くの建物に共通する。AIを本格活用した今後のイノベーションに期待しよう。それが実現した時，筆者の教室の学生たちも快適な状態で授業を受けることができることであろう。

④ オープンデータ

　浦安市役所のHPにはオープンデータという仕組みがある（近年多くの自治体が持っている。）。浦安市地形データ，ウォーキングマップ，防止に関する地図データ，救急・消防に関する地図データ，生活環境に関する地図データ，道路・交通に関する地図データ，都市計画の法規制・事業に関する地図データ，震災アーカイブに関する地図データなどから成っている。地図が多いことから，前述のGISの担当者の方の努力と苦労がうかがえる。これらに関して浦安市は見える化させようと頑張っているようだ。

　ただ，悲しいかな，筆者が試した所，地図に関しては普通の家庭のパソコンではスムーズに開かないケースもある。この点がちょっ

と残念である。それでもエクセル系のオープンデータは開く（2021年10月実験）。エクセルではデータの羅列で一般の人には役立ちそうに思えないが，そのエクセル内にURLが記載されている。それを開くと「データ」に達する。「データ」といっても統計表のように数字が並んでいるだけではない（そのような表もあるが）。「震災アーカイブス」というデータでは，文章あり，写真あり，映像ありである。文章では，個々の市民が東日本大震災に際してどのような状況であったかが書かれている。文字によってひとりひとりの苦難と工夫のようすが描かれている。それを1枚1枚読んでいくのは膨大な作業となるが，使いようによっては震災時にどのようなことが起こり，何が行われたかが読み取れる貴重な資料となる。いまは「テキストマイニング」というシステムがある。大人数の人たちが書いた文章を入力すると，その人たちが共通してどのような気持ちを持ったか，その原因はなんであったかなどを解析することができるようになっている。例えば研究者がその分析を行いたければ，データ化された多くの（あるいは膨大な）文章をその解析システムにかければよい。浦安市のオープンデータに載っている震災時の市民の文章の分析は次回以降の大震災の防災に役立つであろう。写真，映像に関しても市民や役所の人が撮った東日本大震災の当時のものが数多く残されている。思い出したくはないが，その時の様子が現場にいるかのようにわかる。自分では残しておきたくないが，何かの理由で見る必要が出たときに利用できる。この浦安市のオープンデータの役割は非常に大きいことが期待される。

　この優れたシステムの課題は，第1に，前述したように一般の家庭のパソコンでは地図データが開かないケースがあることである。自分のパソコンに入っているソフトが対応しないと地図を見ることができない。この作成者の方が一生懸命載せてくれている。浦安の

ウォーキングコースなどぜひ見てみたいものである。

　第2に，筆者はオープンデータについてUモニを調べていて発見したわけで，多くの人はオープンデータの存在をほとんど知らない。Uモニの結果でさえ（対象974人のうち515人（52.9％）回答，実施期間2019年8月16日（金）〜8月22日（木）），オープンデータを知っている人は27％しかいなかった。

　せっかくの有用なオープンデータであるので，汎用性を高めるのと同時に，市民に周知していく必要がある。現在のように尻すぼみ的に消滅危機にさらされているのではなく，市民生活に役立つデータをより一層多く発信できるような状況をぜひ作り上げてほしい。

⑤ 浦安市役所危機管理サービスイノベーション

　2011年の東日本大震災の際，浦安市は液状化で大規模被害を受けた。地面から水や泥が噴き出す，土地が沈み家が傾くなどそれ以前には経験したことのないような被災状況となった。埋め立ての新しい地域ではこうした被害がさらに大きかった。その際，被害を受けた家々に対して市役所は戸建て1軒1軒に全壊，半壊，一部損壊などの判定を下していった。

　その時の経験が生きたのか，2019年大型台風が千葉県を通った時の対応は早く，かつ市民の立場に立った活動がとれたように思う。これは筆者の個人宅での話。台風が通って千葉県に大きな被害をもたらした。それから相当後になって，天井から雨漏りがしているのに気づいた。2階の廊下の電球の中に水が溜まっているのはなぜかという家族の話から台風の被害だという疑いにつながった。その判定を市役所にお願いすると，早速調査に来てくれた。その後屋根も業者に点検してもらうということで，あまり規模の大きい雨漏りでなかったのでほっとした。市役所の調査結果から，「一部損壊」という判定であった。対応が早かった。雨漏りが後日ひどくなり，

保険会社にお願いする時も，その「一部損壊」判定は心強かった（ただし民間の保険会社はその提出を要求してこなかった。）。このように，災害に対する迅速さは感謝の限りである。浦安市役所の対応は適切で迅速であった。これは筆者が経験した一例であるが，例外ではないであろう。災害に対しての対応は適切さ，早さが求められる。東日本大震災の被害への対応を基にした，危機管理のサービスのイノベーションといってよい。

3. 将来の交通イノベーション　実現するであろうに─LTD─

　現在，JRの終電が終わると新浦安駅前のタクシー待ちの行列は相当長い。筆者は帰る方向が違うので目にするだけだったが，皆さん，疲れて帰ってきているのに気の毒である。

　既述したが，松崎市政時代の2007年度，かつて路面電車の検討が行われた。道路に線路を敷いてその上を広島や長崎で走っているような路面電車を走らせる計画であった。排気ガスを出さず，まさにSDGsやカーボンニュートラルに沿う，地球にやさしい乗り物である。浦安駅から新町までの1本道（やなぎ通り＋シンボルロード）を路面電車が走る計画が検討された（それ以外にも舞浜駅─浦安駅─総合公園などのルートもあり）。その素晴らしいアイデアがなぜ断念されたのか。その1本道の途中に湾岸道路を超えるためのアップダウンがあり，当時の技術では路面電車がその坂を上ることができなかったからである。もしクリアするにしても相当な費用が掛かる。市役所は具体的計画まで練ったにもかかわらず断念せざるを得なかった。

　だが以来10年以上の時が経過した。当時検討したLRT（専用軌道，併用軌道）・BRT（道路専用）も相当技術が向上した。現在では

電車が坂などを簡単に超えられる技術開発が進んでいる。今こそ，自動車と併存できる路面電車を導入するべきではないかと考える。第1に，終電後の帰宅者を安全に家のそばまで運べるからである。第2に，SDGsに沿うからである。第3に，バスとの混合で混雑する交通のスムーズ化が図れるからである。第4に交通事故を減らせるからである。このほか多くのメリットがある。現役の内田悦司市長もかつて路面電車を推進していた。この浦安のみんなの夢に一歩でも近づけるよう，市政で頑張ってほしいものである。ワンマンで24時間営業でよいのではないか。浦安全体の夢のイノベーションを図ってほしい。

4．結び

1）過渡期

　総ずると，民間にしても市役所にしても浦安でのイノベーションは実験段階のものが多かった。先端のデジタルサイネージを置いたが，実際での波及が可能かどうかの効果が判定しにくかった。市役所でもコンピュータを活用しての実験を行ったが，長期に継続している様子がうかがわれなかった。GISではそれを使える人の育成がまだまだ足りないという。浦安のイノベーション，DXは，効果の検証，人材の育成などの点でまだ実験段階という言葉が似あっている。

　今，日本全体がイノベーションの過渡期であるともいえる。技術大国であるはずの日本のイノベーション自体が世界で遅れている。アメリカ，ロシア，中国は宇宙を生活圏化するような実験を繰り返している。2022年11月のJAXAの発表によれば，人工衛星の月面着陸も断念した。日本には「野心」が足りない。そうした日本にお

いてのイノベーションは実験の域をなかなか超えない。とはいうものの，浦安は実用化に向けて次々に実験に取り組んでいる。浦安では「野心」をもったイノベーションをより一層進めてもらいたいと考えている。

2) 次の浦安のイノベーションの姿

　日本はかつて半導体生産世界一の国であったが，いつの間にか後塵を拝するような立場になってしまった。技術を経済社会とリンクすることに失敗した。いくら高い技術力があってもそれを経済社会に生かせないと，いつの間にかに取り残されてしまう。

　この日本経済全体での失敗の中，一つ一つの地域がイノベーションを経済社会に取り込むようにしていくことで，日本全体に徐々に活気を付けていくべきだと考える。その一歩として，ここであげた浦安での数々の実験は価値がある。

浦安のイノベーション実験を生かす

　浦安で行ったイノベーションが，浦安だけでなく他地域の見本にもなって普及していってほしい。生活とイノベーションが一体化する姿のモデルを全国に示すことにより，他の自治体が追随するようになってくれれば浦安での実験はより高い価値を持つことになる。

　浦安市に研究所，研究施設があるわけではない。東京ディズニーリゾートもイノベーションを守秘する。そのほかに画期的イノベーション企業があるわけではない。その条件下での浦安市の役割を考えなければならない。東京にも近く，ICTを活用していく人たちがそろっている。人材は揃っている。ここで挙げたような実験にそうした人材に積極的に参加してもらい，その成果を全国で使えるようにしてほしい。その意味で，浦安は，イノベーションの開発基地ではないが，有用な実験基地となりうる。浦安がイノベーションの

リーダーになることを望む。浦安の次の姿として，ここで挙げたイノベーションや新たなイノベーションが生活の一部になっているような社会を作りの先駆者となり，ぜひそれを全国に波及させてほしい。

参考文献

2. 1）の参考
「デジタルサイネージ」浦安市HP（2021年10月1日確認）
　　https://www.city.urayasu.lg.jp/shisetsu/sonota/1028840.html
「『スーパー木田屋』でバーチャル受付システム『T-Concierge』を活用したニューノーマルな接客サービスを実現」NTT東日本HP（2021年10月1日確認）
　　https://www.ntt-east.co.jp/chiba/news/detail/20200916.html
2. 2）①の参考
「Uモニ」浦安市HP（2021年10月12日確認）
　　https://www.city.urayasu.lg.jp/shisei/kocho/umoni/index.html
2. 2）②の参考
国土地理院HP（2021年10月6日確認）
　　https://www.gsi.go.jp/GIS/whatisgis.html
小泉和久「浦安市の統合型GISの取り組みについて ～GISの活用と人材育成～」（2021年10月6日確認）
　　https://www.mlit.go.jp/common/001069716.pdf
小泉和久「浦安市におけるGIS及びオープン データの取り組みについて」（2021年10月6日確認）
　　https://www.gsi.go.jp/common/000133677.pdf
「地方公共団体向け地理空間情報に関するWebガイドブック　浦安市」国土交通省国土政策局国土情報課HP（2021年10月6日確認）
　　https://www.mlit.go.jp/kokudoseisaku/gis/gis/webguide/giswg_cassht/473/
2. 2）③参考
「ライフスタイルイノベーション」環境省HP（2021年10月23日確認）

http://www.env.go.jp/earth/ondanka/lifestyleinnovation/vision.
html

「ライフスタイルイノベーション：浦安市本庁舎における試行実験」環境省
HP（2021年10月23日確認）

http://www.env.go.jp/earth/ondanka/lifestyleinnovation/
activity_01.html

2. 2) ③参考

「地図データ（オープンデータ）」浦安市HP（2021年10月31日確認）

https://www.city.urayasu.lg.jp/shisei/keikaku/1022110/1007718.
html

「U モニ アンケート集計結果」浦安市HP（2021年10月31日確認）

https://www.city.urayasu.lg.jp/_res/projects/default_project/_
page_/001/026/242/bunseki106.pdf

3. の参考

「第3章 公共交通の強化方策の検討」浦安市ＨＰ（2022年2月20日確認）

https://www.city.urayasu.lg.jp/_res/projects/default_project/_page_/
001/002/896/3_1aratanakoukyou.pdf

「浦安における新交通システムの導入について考える」浦安ファンcom
2018.4.8（2022年2月20日確認）

https://urayasu-fan.com/urayasu-brt/

「路面電車」ダイスキ浦安内田えつしの雑感2006年2月12日（2022年2
月20日確認）

http://urayasudaisuki.cocolog-nifty.com/urayasudaisuki/2006/02/
post_4e36.html

第9章 不動産日本一

河合　芳樹

（明治大学客員研究員）

1. 不動産の価値

　「衣・食・住」は人が生きていくための三大要素である。一方，「衣食足りて礼節を知る」と言われている。これは，「住」は「衣・食」とは異なる性格を持っていることを示す。「衣・食」は今日も明日も買う財で，日用品，あるいは，最寄り品であるのに対して，「住」は毎日買ったり売ったりしない耐久消費財である。「衣・食」に比べて高価で，個別性が強い。また，耐久消費財は高額になるほど資産性を伴い，そのなかでも「住」は最も典型的である。それは，日々の生活での便利さや癒やしによって生まれる価値がスティタスとしての価値をもたらす。

　浦安市での「住」はこうして生み出される価値を反映し，首都圏の人気スポットになっている。本章では，浦安市の「住」の価値を少し専門的な観点を含めて掘り下げてみたい。とは言え，それは，多くの人が抱いている通念を再確認するものである。

2. 浦安市の地域特性

　2020年の国勢調査によれば，浦安市の総人口は171,362人で，2015年から5年間で7,338人増加，4.47％増，全国792市（東京都特別区を除く）のうち増加率は23位である。全国の総人口は948,646人の減少，0.75％減のなか，人口が増加していることは，その地域特性に多くの人が魅力を感じていることを示している。浦安市の不動産について語る前に，こうした人口増が続く浦安市の地域の特性について，それを客観的な指標に基づいて探っていく。

　地域の特性は，自然的・地理的，社会的，経済的，さらには，行政的な側面に区分することによって得やすくなる。それは，多くの人が抱く地域のイメージを具体的に表すものでもある。固定資産税の評価の地目，宅地・田・畑・山林の割合は自然的な条件に基づく土地利用を示し，標高差や河川，湖沼面積から地勢を推測することができる。人口の増減は社会的な側面を示す指標のひとつであり，人口の大小は経済活動の規模を示し，財政力指数は都市の経済的な側面を示す。居住者の課税所得水準は生活水準を示し，課税所得の水準は一般的には住環境の品等と関係が深い。さらに，建物の利用を規制する用途地域や行政が指定する容積率，建ぺい率は行政的な側面で，平面的な利用と空間的な利用を制御するとともに，固定資産税評価での宅地面積と建物の延べ床面積との比率（概算実効容積率）は空間的な利用充足率であり，経済力を示す。これらの指標を収集することにより，全国の市区町村の地域の特性やイメージを客観指標として比較できる。

　例えば，図表9-1は，2018年の個人所得税収入を納税者数で除した納税者一人当たりの税額で，東京都23区を除く792市のうち，

上位5市，芦屋市，武蔵野市，鎌倉市，浦安市と三鷹市について，固定資産税評価における「小規模住宅地」と「一般住宅地」のそれぞれの市域面積に対する土地利用割合とそれらの順位を一覧にしている。「小規模住宅地」は，住宅として利用されている土地が1世帯当たり200m²以下で，戸建住宅地だけでなくマンション敷地も含まれる。「一般住宅地」は200m²を超える規模であることから，所謂，邸宅が建ち並ぶ高級住宅地が多いことをイメージする。ただし，大都市圏の住宅地よりも大都市圏以外の地域の戸建住宅は敷地が大きい。農家住宅の敷地規模が大きいのがそれを物語っている。そうした点を考慮した上で，芦屋市と鎌倉市において市域の6%が「一般住宅地」であることは高級住宅地が多いことを示唆している。また，武蔵野市と三鷹市は3%台で比較的多いが，浦安市は1%に至らない。こうした点を考えると，浦安市の住宅地域は，敷地規模の大きい邸宅が連なる高級住宅地ではなく，首都圏で働く多くの人が手が届くかもわからないとの思いを寄せる小規模住宅地を中心の街であることを裏付ける。図表9-1で用いた3つの指標は，住宅地の環境や人気とは関連はないが，3指標が組み合わさることによっ

図表9-1　住環境が優れる上位5市

市町村名	納税者一人当_個人所得税収入額（千円）	左記順位	小規模住宅地割合	左記順位	一般住宅地割合	左記順位
芦屋市	262.1	1	0.205	85	0.061	56
武蔵野市	216.6	2	0.484	2	0.033	258
鎌倉市	180.4	3	0.285	39	0.060	59
浦安市	179.9	4	0.302	30	0.009	603
三鷹市	176.5	5	0.419	7	0.039	199

出所：総務省の2018年統計資料による

て，住環境と選好度を表す指標になっていることを示唆する。

3. 地域特性と不動産価格の都市間比較

　以下では，図表9-1に基づいて，「住環境」の程度を数値化することを試みた。

　図表9-2に掲げた都市別の得点は，2020年国勢調査で対象とした全国792市のうち，総人口100万人未満から3万人以上に該当する669市についてのいくつかの統計値を分析し，それらの総合的な特性として得られたひとつの指標である。具体的には，主成分分析という多変量解析を用いて求めた[注53]。

　対象とした都市669市に共通する要因として「都市における居住地としての選好度」に関連がありそうな39指標[注54]を選び出し，統計分析によって次の10指標が「都市における居住地としての選好度」に影響が強いことが示された。以下において，10指標に現れる住宅地利用との関係を記した。

① **財政力指数（2018）**：都道府県や市町村の財政力を表し，指数は2018年度と前後の2017年度と2019年度の3ヵ年度の平均であり，その指数が大きいほど財政の安定が確保されていることを示唆する。

② **2015 ～ 2020年人口増減率**：2020年国勢調査による総人口の増減率で活力を示す。

③ **15 ～ 64歳の人口割合（2018年住民基本台帳人口）**：生産年齢人

(注53)「得点」は主成分分析によって求めた分析対象669市の主成分得点を示す。詳細は，次のURLに掲載：http://0090d9ba-c89b-4268-b9ef-8733f85f7ca4.filesusr.com/ugd/ed047e_85dee0c8dc394a6190f1585ec210792b.pdf

(注54)「図表10-12」及び末尾表を参照

口の割合が大きいことはその地域の活力があることを示唆する。

④ **人口集中地区人口割合（2015）**：市町村の総人口に対して，1km^{2}当たり人口密度が4,000人以上の地域が隣接する範囲で，それら各地域の人口が5,000人以上の範囲の人口割合で，この値が大きいほど平面だけではなく空間的な土地利用が進んでいることを示す。

⑤ **個人市町村民税歳入割合（2018）**：市町村税全体に占める個人市町村民税の割合で，割合が大きいほど住宅地域を中心にした構成で，市町村の納税者の所得水準が高いか，或いは，他の税収入が少ない，すなわち，歳入全体が少ないことを示唆する。人口が少なく，商工業地の利用も少ない市町村においても個人市町村民税歳入割合が高くなることがあるため，人口3万人未満の都市を除いて分析した。

⑥ **自主財源歳入割合（2018）**：都道府県や市町村が自ら調達した歳入額の歳入総額に対する割合で，この割合が大きいほどそれぞれの地方での政策の自主性を確保でき，それぞれの都市の特性を活かした施策が講じられていることを示唆する。

⑦ **住民一人当たり課税対象所得（2018）**：個人市町村民税の納税者の課税対象所得を住民基本台帳人口の除した値で，その高低は，当該市町村の所得水準を示す。

⑧ **宅地割合（2018）**：土地に係る固定資産税の基となる地目区分において，宅地（商業地，住宅地，工業地）利用している土地面積の市町村面積[注55]に対する割合で，この割合が大きいほど市町村の都市的土地利用が進んでいる。

⑨ **小規模住宅用地割合（2018）**：図表9-1で示したように，1世帯

（注55）課税評価地と学校敷地など非課税評価地を加算した面積

当たり200m^{2}以下の住宅地の割合で，この値が大きければ戸建
住宅地だけでなくマンション利用も進んでいることを示唆する。

⑩ **最終学歴人口が大学・大学院割合（2010）**：親の学歴は子ども
の学歴に影響することが多く，教育に対する住民の教育への意
欲を示唆する。

これらの変数については，「都市における居住地としての選好度」
に対する影響度が計算されるので，分析によって得られた各変数の
得点を計算した。言い換えれば，この指標の得点が高い場合は，上
記10指標に内在する特徴を総合して「高度な都市的土地利用が進
んだ住環境の優れる住宅地域を形成している都市」といえる。高度
な都市的土地利用が進むと言うことは利便性が優れることでもあ
り，「利便性と良好な住環境」を地域特性として有する都市とも言
い換えることができる。

669市において，こうした地域特性に係る得点の高い上位30市
は図表9-2のとおりで，浦安市は2番目に位置する。10位以内に
は浦安市のほか，東京都下の8市と8位の埼玉県戸田市で，30位
以内には13市が東京都下である。こうした点から浦安市は，東京
都下の市部を除けば「利便性と良好な住環境を有する都市」として
の優位性が圧倒的に高いことを示す。また，浦安市の「一人当課税
対象所得」，「最高学歴人口割合」は高い水準であり宣伝もされてい
ないが，多くの人々にスティタスの高さを意識させている雰囲気を
醸し出す要因となっていることを示す。

4.「都市における居住地としての選好度」の比較

自ら居住する住宅を求める需要者が重視する要因は，一般的に
は，最寄り駅や都心までの距離など交通接近条件，続いて環境条

図表9-2　「都市における居住地としての選好度」の得点が高い上位30市

順位	都道府県・都市名	得点	順位	都道府県・都市名	得点
1	東京都武蔵野市	11.9482	16	愛知県みよし市	8.0478
2	千葉県浦安市	10.4887	17	東京都西東京市	7.9402
3	東京都三鷹市	9.8174	18	神奈川県藤沢市	7.8825
4	東京都国分寺市	9.7170	19	愛知県刈谷市	7.8114
5	東京都調布市	9.5148	20	千葉県流山市	7.8038
6	東京都小金井市	9.3878	21	千葉県習志野市	7.7921
7	東京都国立市	8.9375	22	愛知県東海市	7.7101
8	埼玉県戸田市	8.6209	23	埼玉県朝霞市	7.6132
9	東京都府中市	8.5364	24	神奈川県鎌倉市	7.5328
10	東京都小平市	8.5112	25	埼玉県蕨市	7.4946
11	埼玉県和光市	8.2953	26	東京都多摩市	7.4790
12	千葉県市川市	8.2384	27	愛知県長久手市	7.3532
13	東京都立川市	8.2381	28	東京都稲城市	7.2920
14	東京都狛江市	8.1501	29	愛知県日進市	7.2736
15	大阪府吹田市	8.1419	30	埼玉県八潮市	7.2679

件，街路条件と言われている。都市計画などに関する行政的条件は
それら要因を制約し，需要者は付随的に受け入れる要因になる。図
表9-2に記した「都市における居住地としての選好度」に係る得点
の上位30市のうち首都圏の各市は，神奈川県藤沢市と鎌倉市を除
けばいずれも東京都心に近接する。そうした利便性に優れ，良好な
住環境が整えば，若い人たちの選好性が高くなり，街に活気が生ま
れ，それが増幅していく好循環を引き起こす。それを不動産市場と
して眺めれば，人々の効用が集中し，多くの有効需要が生まれ，不
動産が有する位置的固定性，不増性，代替性の少なさによる希少性
によって不動産価値は高くなる。

　図表9-3は，こうして形成される不動産価値の指標のひとつであ

図表9-3 「都市における居住地としての選好度」の得点（横軸）と2021年地価公示住宅地平均価格（縦軸）

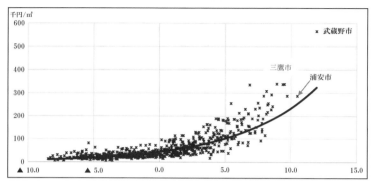

（注）点は669市のプロットで，曲線はそれらの近似線。

る地価公示価格^(注56)と669市の「利便性と良好な住環境」の地域特性得点をグラフ化した。地価公示価格は，2021年1月1日現在における669市の住宅地利用の公示地について1m²当たり価格の各市の平均である。

　横軸の669市が有する地域特性の得点と縦軸の地価公示価格の関係は，右肩上がりの放物線として近似曲線を描くことができる。

　図表9-4は，図表9-2に掲げた「利便性と良好な住環境」の地域特性得点が上位30位以内の市で，図表9-3の右上の部分を拡大して表記した。図表9-4で地価公示価格が上位10以内には浦安市の10位以外は東京都下の9市であることが分かる。

（注56）地価公示は毎年1月1日現在の土地価格を国交省・土地鑑定委員会が公表している。地価公示価格は不動産取引の指標であるとともに，相続税評価は地価公示の8割程度，固定資産税評価は同7割程度を目途に評価額が決定される。

図表9-4　上記図表9-3のうち「都市における居住地としての選好度」の
地域特性得点（X軸）上位30市

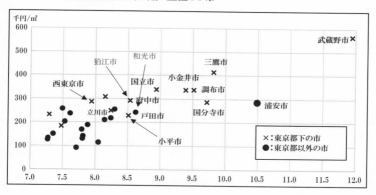

　図表9-4は一見して明らかなように，地価公示価格の水準は「利便性と良好な住環境」の地域特性得点に含まれない要因，例えば，「東京都」という地名そのものが影響して価格水準を押し上げていることも要因と考えることができる。ここでの地域特性の得点を居住によって得られるサービスとすれば，首都圏においては，東京23区に近接する市部での居住は，周辺3県の居住に較べてコストパフォーマンスが劣ることになる。逆の見方をすれば，浦安市は今以上に知名度がさらに上がれば，居住資産の価格も高くなる可能性を秘めていると言える。

5.　浦安市内の不動産市場の動向

1）地価公示から見る浦安市の不動産市場

　近年における我が国の不動産価格は，リーマン・ショックと東日本大震災の影響を受け，大きく変動した。図表9-5は，2000年か

図表9-5　2000 ～ 2021年地価公示の変動率の推移

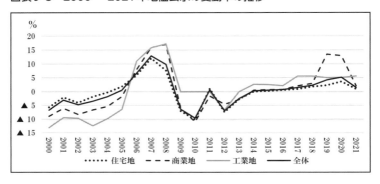

らコロナ禍に揺れた2021年までの22ヵ年分の不動産価格の推移を地価公示価格の変動率によって表している。変動率からは，平成初めのバブル崩壊後長きに渡って下落が続いた地価が，2004年頃から反転し，2005年には住宅地が，2006年には全地点でそれまでの下落から上昇に転じた。しかし，2008年9月のリーマン・ショックによりその後は再び下落に転じ，2011年1月時点では再々度の反転をしたものの，同年の3.11東日本大震災により浦安市は液状化など大きなダメージを受け，翌2012年の公示価格では大きく落ち込んだ。その後，順調に回復基調に入っていたが2021年の地価公示では前年からのコロナ禍の影響を受けて上昇率が伸び悩んだことが分かる。

　図表9-6は，浦安市における住宅地の公示地全地点の単価（万円／m²）をプロットした。5つのゾーンに分かれる浦安市の住宅地域は，開発の歴史順に，元町ゾーン，中町ゾーン，新町ゾーンの3ゾーンに分布する。新町ゾーンの公示地が1地点しかないため比較検討ができないが，元町ゾーンと中町ゾーンを比較すると，中町ゾーンの方が価格の振幅が大きいことが分かる。これは，価格水準が高

図表9-6　2000 ～ 2021年住宅地ゾーン別地価公示地点の価格

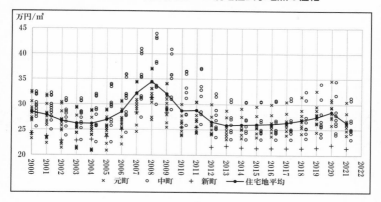

いほど景気の影響を受けやすく価格変動が大きい傾向あることから，高価格帯の住宅地を含む中町ゾーンは元町ゾーンよりも景気変動の影響が大きい，言い換えれば，金融感応度が大きいことを推測させる。図表9-6の折れ線は住宅地の平均価格を示す。

　なお，地価公示は毎年1月1日時点の価格を定点調査していることから，いずれも前年の取引の推移を反映したものであることに留意して見て頂きたい。

2）不動産取引価格から見る浦安市の不動産市場

　国交省は2005年7月以降，アンケート調査した不動産取引について，回答を得た取引事例不動産情報をホームページに公開している。個人情報保護法の観点から，個々の不動産が特定できる情報は除くか加工していることから，取引事情や価格に影響を与えた要因のいくつかは不明であり，限られた要因だけで多くを述べることはできないが，価格水準やその動向を知ることができる。以下では，浦安市で住宅利用を目的とした土地（更地），土地建物，中古マン

ションについて，集計可能な取引を抽出し，それらの取引価格から
浦安市の不動産市場の動向と不動産市場の特性について考えてみた
い。

　2021年7月末時点で国交省ホームページの掲載されている浦安
市の取引事例データは，2007年第1四半期以降の3,500件余が閲
覧可能である。このうち，住宅地としての属性を合わせるため，土
地面積が100m^{2}以上300m^{2}以下の土地だけの取引に絞り込んだ結
果，272件が集計対象になった。

　図表9-7は，この272件の取引単価をゾーン別・取引年次別に
プロットしている。図表9-6の2007年以降の部分と見比べると
2013年を底とした緩やかな放物線状に分布していることが分か
る。また，浦安市の住宅地の更地取引では，元町ゾーンは中町ゾー
ンよりもゾーン面積は狭いが取引の価格帯は幅広く，中町ゾーンは
景気が収束してくる段階で取引の価格帯が狭まってくる傾向があ
り，新町ゾーンでは戸建用の更地取引が少ないことを推測させる。

図表9-7　100 〜 300m^{2}住宅地の取引単価の推移

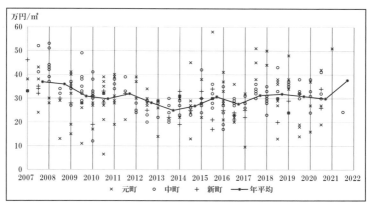

3) 住宅用の戸建住宅（土地と建物）の取引

　土地建物の取引は，土地だけでなく，築後年数，構造，劣化摩耗や修繕の程度などの建物要因も取引価格に大きく影響するが，それらを比較検討することはできない。そのため，敷地面積と建物の建築年次だけに着目して，敷地面積が100m²以上300m²以下で，かつ，1989年以降の建築の土地建物を抽出した。この結果，戸建住宅の取引998件のうちの466件を2007年以降建築で築後1年以下の取引320件，築後2年以上の取引146件に分けて浦安市の不動産市場について考える。

　集計件数の違いは別として図表9-8と図表9-9を較べると，新町ゾーンでの新築取引件数が増えていることが分かる。これは，環境保全等から既存住宅の再分割は宅地開発条例[注57]で制限されることから，元町ゾーンや中町ゾーンでの供給は限られているためである。さらに，元町，中町ゾーンでは需給関係から販売価格も高くなり，新築住宅の供給は新町ゾーンに需要が多くなっているが，新町ゾーンも元町，中町ゾーンの販売価格の影響を受けて右肩上がりになっていると推測できる。ただ，こうした中でも，リーマン・ショック，東日本大震災の不動産市場への影響は大きく，2013年になって回復傾向が窺える。図表9-6の2021年地価公示価格が示す影響が一戸建市場にどの程度現れているかは，2020年後半以降の取引価格が明らかになるに伴って判明する。他方，図表9-6と図表9-7を合わせて考察すると，浦安市は潜在的な住宅需要が旺盛であることから，土地だけ（更地）の取引よりも，建物と一体になることによって付加価値が大きくなる不動産市場が形成されていると思われる。

（注57）「浦安市宅地開発事業等に関する条例等」第4条，（2020.1改訂版）。

図表9-8　1989年以降建築の中古一戸建住宅の取引総額
　　　　　（敷地面積100m²以降300m²以下）

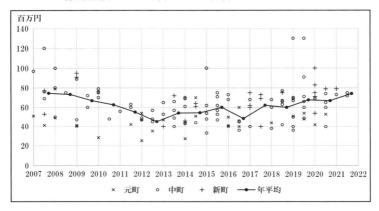

図表9-9　2007年以降建築の新築一戸建住宅取引総額

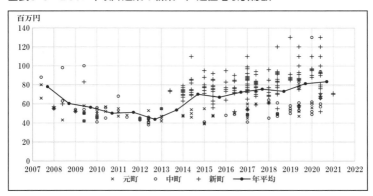

4）中古マンションの取引

　浦安市には根強いマンション需要があり，中古マンション市場も活発で，2021年7月末時点の国交省ホームページでも1,849件が

該当する。このうち，1989年以降建築で専有面積60m²以上100m²未満の790件の取引事例を採用し，図表9-10ではゾーン別・取引年次別の取引総額をプロットし，図表9-11では取引時点でのゾーン別・築後年数別に①平均取引総額，②専有面積当たり平均取引単価，③平均専有面積，④最寄り駅からの平均徒歩時間を集計した。

　図表9-10で，ゾーン別に近似直線を求めると，中町，新町，元町の順になっている。これは，図表9-11で②平均取引単価では元町と新町が拮抗しているが，③平均専有面積は新町が最も広いため，新町ゾーンの取引総額が嵩んでいる。また，浦安市内で大規模で住宅供給できる地域が限られつつあることと，販売価格の上昇を抑えることから，新築マンションの専有面積が次第に狭くなり，最寄り駅から遠くなっていることが，図表9-11の③④中古住宅の築後年数の関係が示している。

図表9-10　1989年以降建築の中古マンション取引総額

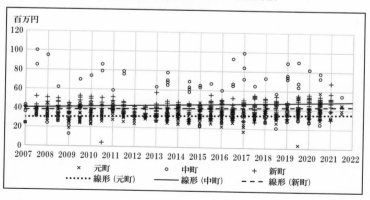

図表9-11　1989年以降建築の中古マンションの築年時期別の平均取引総額，平均単価，平均専有面積，最寄り駅からの徒歩時間

取引時の築後年数	① 平均取引総額　　百万円				② 専有面積当たり 平均取引価格　万円/m²			
	元町	中町	新町	全体	元町	中町	新町	全体
5年以下	44	50	44	46	65	66	53	59
5年超10年以下	34	44	44	41	48	56	51	52
10年超15年以下	32	46	41	39	48	59	48	51
15年超20年以下	31	46	40	38	46	60	47	49
20年超25年以下	32	30	37	34	52	43	44	46
25年超30年以下	36	—	40	39	57	-	46	48
30年超	—	—	46	46	-	-	49	49
全体平均	33	44	41	39	49	58	48	51

取引時の築後年数	③ 平均専有面積　　m²				④ 最寄駅徒歩時間　　分			
	元町	中町	新町	全体	元町	中町	新町	全体
5年以下	68	74	83	78	16	19	25	22
5年超10年以下	69	76	85	78	13	18	25	20
10年超15年以下	66	76	84	76	14	17	24	19
15年超20年以下	66	75	83	76	14	17	23	19
20年超25年以下	62	70	83	74	13	23	20	18
25年超30年以下	62	—	86	81	12		19	17
30年超	—	—	92	92			16	16
全体平均	66	75	84	77	14	18	23	19

6.　浦安市の住環境を持続するために

　以上のように，浦安市は，「利便性と良好な住環境を有する都市」の下で不動産市場が形成されていると言える。これは，浦安市の元町，中町，新町の3つの住宅地ゾーンのほか，鉄鋼団地や物流業の工業ゾーンと東京ディズニーランドやホテルが林立するアーバンリ

ゾートゾーンを加えた5つのゾーンが計画的に配置され、住宅地域を計画的に拡大したことによって、浦安市にしかない都市環境を生み出したことを示している。

　図表9-12は、「都市における居住地としての選好度」に係る39変数について669市の影響度を計算し、武蔵野市、浦安市、三鷹市、国分寺市と調布市の影響度の順位を表記している。すなわち、図表において、「1」は分析対象669市のうち1位を示し、例えば、「財政力指数」は武蔵野市と浦安市が共に1位であることを示している。そこで、これら39変数から浦安市が今後も「都市における居住地としての選好度」の高位を持続するために望まれる点について考えてみたい。

　最初に、浦安市の財政力指数が1位である背景を財政と土地利用の関係から比較検討する。財政力指数が同じ1位の武蔵野市は「個人市民税歳入割合」が大きいが、浦安市は5市の中では最も低い。しかし、市民税等による「自主財源歳入割合」は浦安市が最も高い。また、「法人市民税歳入割合」も最も高い。これは、浦安市が商業地や工業地、さらには、ディズニーランドを含めた「非住宅用地割合」が高いことに結び付く。それとともに、「小規模住宅用地割合」と「一般住宅用地割合」は5市の中で最も低い。これは、浦安市が住宅系用途に依存した土地利用ではないことを示し、それによって財政構造が住宅系への依存が高くはなっていない。こうした土地利用が持続されることによって、高齢化が進む中で安定した財政が維持できると期待できる。

　次に、浦安市の特性は居住者年齢の若さである。15歳から64歳の生産年齢人口割合が669市の中で最も高く、15歳未満の年少者人口割合は5市の中で一番高い。都市として若さを維持していくことは、街が活力を維持する源泉である。こうした点は「2001年以

降建築住宅戸数割合」が浦安市は調布市と並んで高く，街並み全体が若いため，子育て中の働く世代の不動産需要を生んでいる。他方，それは「一般住宅用地割合」が669市の中で低いことにもつながる。先にも述べたように，土地に係る固定資産税において「一般住宅用地」は200m^{2}を超える部分を有する住宅地で，首都圏や人口の多い都市部では，例えば，東京23区内ならば，渋谷区松濤や大田区田園調布などに代表される旧来からの高級住宅地であることが多い。5市の中では，武蔵野市吉祥寺南町，三鷹市下連雀などに高級住宅地域が形成されている。浦安市も舞浜地区などの高級住宅地が形成されているが，浦安市は他市と較べると200m^{2}を超える住宅地の連たん度や割合が高くないことは，松濤や田園調布のような庶民にとって高嶺の花の高級住宅地ではなく，街の若さも含めて比較的身近に感じられる高級住宅地であることを物語る。

　また，商住工として利用している「宅地割合」は5市とも高く，土地利用のゆとり空間が少ないことを示す。活力ある街であることは，緑豊かな空間により市民生活にゆとりが感じられる雰囲気が必要である。今後も，生産年齢人口の住宅需要に応えていくためには，開発規制を維持しつつ，「実効容積率」を上げていく，すなわち，空間価値を高め，面的な緑空間を保持していく街づくりが求められる。

　他方，「都市における居住地としての選好度」のウエイトに対してマイナス側に影響している医療衛生関係の変数は，今後進む高齢化社会の中では市民生活に必要性を増していく要因が多い。ただし，SDGsを含めた医療衛生関係事業は，各市が単独で行う分野と広域連携によって行う分野がある。現在は，浦安市住民と居住需要者の若さから医療機関に対する選好順位は低いかも分からないが，一般診療所は他市に較べて少ない。こうした点への対応が次第に重

視されることが予測される。

　人の一生には盛衰があるように街にも盛衰がある。しかし，人は寿命には抗えないが，街の盛衰は工夫によって若さを維持できる。

図表9-12　「都市における居住地としての選好度」の39変数における上位5都市の順位

都市名	ウエイト (注58)	ウエイト の順位	武蔵野市	浦安市	三鷹市	国分寺市	調布市
18_財政力指数	0.8996	1	1	1	17	39	12
18_個人市民税歳入割合	0.8981	2	5	106	6	9	33
18住基_15～64歳人口割合	0.8733	3	10	1	14	12	11
18_一人当課税対象所得	0.8577	4	2	3	4	7	9
2015-20（組替）人口増減率 %	0.8214	5	41	26	25	16	10
18_宅地割合	0.8185	6	3	18	5	12	25
18_自主財源歳入割合	0.8135	7	18	4	59	45	87
10_最終学歴人口：大学・大学院割合	0.8114	8	2	7	21	4	14
18_小規模住宅用地割合	0.7972	9	2	30	7	4	8
15_人口集中地区人口割合	0.7620	10	1	1	1	1	1
18_2001年以降建築住宅戸数割合	0.7341	11	133	95	134	143	94
18_固定資産税歳入割合	0.7326	12	33	100	97	193	173

（注58）「ウエイト」は主成分分析による主成分負荷量（脚注1のURL参照）

2015-20世帯増減率 %	0.7280	13	164	68	94	54	34
18_住居専用地域面積割合	0.7026	14	15	45	8	10	14
18_非住宅用地割合	0.6942	15	98	5	90	105	81
15_一万人当文筆家・芸術家・芸能家	0.6914	16	1	13	6	11	3
18_実効容積率	0.6734	17	3	10	31	44	15
18住基_15歳未満人口割合	0.5344	18	402	145	280	344	277
18_一般住宅用地割合	0.5224	19	258	603	199	115	290
18_商業地域面積割合	0.4855	20	4	36	59	15	35
18_法人市民税歳入割合	0.4432	21	79	36	103	358	271
18_工業専用地域面積割合	0.2767	22	416	416	416	416	416
18_ごみリサイクル率%	0.2148	23	31	373	31	18	21
18_一万人当薬剤師数	0.2044	24	13	222	73	359	196
18_一万人当歯科医師数	0.1937	25	9	146	356	97	59
16_一万人当百貨店，総合スーパー数	0.0724	26	55	32	477	445	435
18_一万人当医師数	0.0122	27	71	54	20	600	536
18_一万人当一般診療所数	▲ 0.1896	28	1	492	316	101	207
16_一人当小売業売場面積 m²	▲ 0.3217	29	87	572	658	638	622
18_年少者一人当児童福祉費	▲ 0.3416	30	13	117	71	20	10

18_一戸建住宅割合	▲ 0.3673	31	664	639	650	643	658
18_一万人当病院病床数 床	▲ 0.3990	32	522	518	204	657	548
18_一万人当病院数	▲ 0.5252	33	401	600	508	652	567
18_高齢者一人当老人福祉費	▲ 0.5415	34	12	129	213	165	120
18_空き家割合	▲ 0.5557	35	522	550	541	564	580
18_一般田畑山林割合	▲ 0.7004	36	653	667	628	616	639
18_一人当地方債現在高	▲ 0.7604	37	664	645	608	643	635
18住基_65歳以上人口割合	▲ 0.8411	38	629	667	636	635	641
18_地方交付税歳入割合	▲ 0.9008	39	661	638	658	652	659

（注）各変数の最初の2桁の数字は，統計調査年次又は年度の西暦下2桁を示す。

参考資料

・『不動産鑑定評価基準』，国土交通省，2014.5改正。
・「浦安市宅地開発事業等に関する条例等（2006.10.1施行）2020.1改訂版」。
・「浦安まちづくり3ヵ年計画（2018～2020年度），2018.6。
・「浦安市第1次実施計画（2020～2022年度）」，2020.3。
・「浦安市総合計画（基本構想・基本計画）」，2020.5。

分析で用いた変数一覧

No.	変　数	出処	出典
1	18住基_15歳未満人口割合	総務省	住民基本台帳調
2	18住基_15～64歳人口割合	総務省	住民基本台帳調
3	18住基_65歳以上人口割合	総務省	住民基本台帳調
4	2015-20（組替）人口増減率%	総務省	国勢調査（2020速報）
5	2015-20世帯増減率 %	総務省	国勢調査（2020速報）
6	15_人口集中地区人口割合	総務省	国勢調査

7	10_最終学歴人口：大学・大学院割合	総務省	国勢調査
8	15_一万人当文筆家・芸術家・芸能家	総務省	国勢調査
9	18_財政力指数	総務省	地方財政状況調査
10	18_自主財源歳入割合	総務省	地方財政状況調査
11	18_個人市民税歳入割合	総務省	地方財政状況調査
12	18_法人市民税歳入割合	総務省	地方財政状況調査
13	18_固定資産税歳入割合	総務省	地方財政状況調査
14	18_地方交付税歳入割合	総務省	地方財政状況調査
15	18_一人当地方債現在高	総務省	地方財政状況調査
16	18_高齢者一人当老人福祉費	総務省	地方財政状況調査
17	18_年少者一人当児童福祉費	総務省	地方財政状況調査
18	18_一人当課税対象所得	総務省	市町村税課税状況等の調
19	18_ごみリサイクル率％	環境省	一般廃棄物処理事業実態調
20	18_一万人当病院数	厚生労働省	医療施設調査
21	18_一万人当一般診療所数	厚生労働省	医療施設調査
22	18_一万人当病院病床数 床	厚生労働省	医療施設調査
23	18_一万人当医師数	厚生労働省	医療施設調査
24	18_一万人当歯科医師数	厚生労働省	医療施設調査
25	18_一万人当薬剤師数	厚生労働省	医療施設調査
26	16_一万人当百貨店，総合スーパー数	経済産業省	経済センサス基礎調査
27	16_一人当小売業売場面積　m^2	経済産業省	経済センサス基礎調査・商業統計
28	18_空き家割合	国土交通省	住宅・土地統計調査
29	18_一戸建住宅割合	国土交通省	住宅・土地統計調査
30	18_2001年以降建築住宅戸数割合	国土交通省	住宅・土地統計調査
31	18_住居専用地域面積割合	国土交通省	都市計画年報
32	18_商業地域面積割合	国土交通省	都市計画年報
33	18_工業専用地域面積割合	国土交通省	都市計画年報
34	18_小規模住宅地割合	総務省	固定資産税概要調査
35	18_一般住宅地割合	総務省	固定資産税概要調査
36	18_非住宅地割合	総務省	固定資産税概要調査
37	18_宅地割合	総務省	固定資産税概要調査
38	18_一般田畑山林割合	総務省	固定資産税概要調査から計算
39	18_実効容積率	総務省	固定資産税概要調査から計算

(注)　各変数の最初の2桁の数字は，統計調査年次又は年度の西暦下2桁を
　　　示す。

※本章は2021年8月時点公表の統計値に基づく。

第10章 日本一の防災・環境対策，浦安市

中川 直子

中央大学理工学研究科客員教授
浦安市環境審議会委員
浦安市総合計画推進委員会委員

1. はじめに

「ゆりかごから墓場まで」という言葉があるが，浦安市はまさに
ゆりかごから墓場まで何でも揃っている素晴らしい市だ。現に筆者
は浦安市に在住して30年以上になるが，浦安市内の大学病院で双
子を出産し，緑豊かな環境の中で子育てをした。子育て中の時期に
は近くに大きな公園もできて，子供たちと巣箱を作るなど浦安市が
主催する様々なイベントに参加し，時々市内のテーマパークやホテ
ルも利用するなど，楽しい思い出が沢山できた。子供たちは市内の
小・中学校にもお世話になり，今では社会人となり巣立っていっ
た。今後は大震災でも起きて今の住居に住めなくなるようなことが
起こらない限りは，慣れ親しんだこの浦安市に終身住み続けて，最
後は市内の墓地公園に永眠することになるのかなと予想する。この
ように，浦安市に対して心から感謝しているが，今回は筆者独自の
観点から，浦安市の防災対策や環境保全対策に着目して，優れてい
る点をまとめてみたい。

2. 災害時も使える水洗トイレを国内初導入した日本一の防災公園 (浦安公園)^(注59)

2011年3月11日に起こった東日本大震災により，浦安市では大規模な液状化が発生した。浦安市では震度5程度だったのだが，浦安市の中の埋め立て地の部分では市内のテーマパークを含め，液状化によって地中から泥が噴き出した。下水管が破損したり，マンホールが飛び出たりした地域もあり，多くの市民が下水を流せなくなり自宅のトイレを長期間使えず四苦八苦した経験を持っている。筆者の自宅も埋め立て地域にあるため，1か月間ほど自宅の水洗トイレが使えなくなった。しかし人間はみな「食べたら出す」を繰り返している。浦安市からは「便袋」なるものが配布され，ごみの日にゼリー状に固めたし尿を廃棄物として出すことになった。このような状況になると家族のメンバーが多い家庭は大変だっただろう。家のトイレは使わないように，なるべくトイレが使える大型商業施設に行ってトイレを済ませるなど，浦安市では多くの「トイレ難民」が発生した。このような過去の経験から，浦安市民の多くはトイレの有難さがわかっている。災害時のトイレ問題はかなりのストレスになることも。

そこで，浦安市は，東日本大震災の教訓を生かし，市役所北側に，工事費約8億1,500万円，約3年をかけて防災公園の整備を行った。浦安市内にある高洲中央公園では，かつて，大地震に備えて，1万人が3日間暮らせる100m³の水を貯めて震災に備えていた

(注59) 千葉日報オンライン (2020)「浦安公園, 全面オープン　国内初導入　災害時も使える水洗トイレ」千葉日報. https://www.chibanippo.co.jp/news/local/684201 (閲覧日：2022年7月22日) 参照

耐震性貯水槽が設置されていた。しかし東日本大震災時に起こった地震で，液状化により周囲のコンクリートごと地中から浮き上がってしまうことは誰も想像していなかった。水道本管をバイパス管でつないでその下にタンクを設置し，バイパス管を経由巡回して常に水が満水状態になっている貯水槽で，地震には耐えたが液状化で浮き上がった。中の水は使おうと思えば使えたが，他の方法による給水で間に合い，もったいないことに出番はなかったそうだ。このように，何が必要で何が必要でないのかは，大震災が実際に起きてみないとわからないことも多いのだ。

　様々な検討を重ねて，2020年4月7日に，日本一の防災公園，浦安公園がオープンした（写真1）。着目すべきは，災害時も使える災害対応トイレの導入だ。東日本大震災の際に，「トイレ難民」の経験をした浦安市民，トイレで苦労した浦安市が，様々な調査を行い選定したのが，あるトイレメーカのレジリエンストイレ（災害配慮トイレ）だ。

写真1　日本一の防災公園，浦安公園

パブリック用大便器［レジリエンストイレ（災害配慮トイレ）］

　この災害対応型トイレは防災備蓄倉庫と一体的に整備され，鉄筋コンクリート造りの平屋である（写真2）。このトイレのキャッチフレーズは「いつもと同じみんなで使うトイレ」。見た目は普通の水洗ト

写真2　災害対応型トイレと防災備蓄倉庫

写真3
災害対応型トイレ便器

イレだ（写真3）。平常時も災害時もいつもと同じ場所・同じ使い方
で、高齢者や障害のある方、子どもや女性など、誰でも安心して利
用できる災害配慮トイレだ。2019年には、通商産業省主催「グッ
ドデザイン商品選定制度（通称Gマーク制度）」創設以来、約60年
にわたり「よいデザイン」を顕彰し続けてきたグッドデザイン賞の
受賞もしている。災害時も使える水洗トイレはストレスの軽減につ
ながる。この災害対応型トイレは、汚水循環方式採用の災害対応型
トイレとなっている。汚水を循環させることにより汚物を搬送する
のだ。汚水を循環させる災害対応型トイレの導入は国内初というこ
とである。そして災害時には常設のトイレの洗浄水量を5Lから1L
に切り替えられるので、災害による断水時なども、平常時と同じよ
うに超節水型水洗トイレとして利用できる。災害時は水洗トイレと
して延べ8,600人が使用可能だという。3日分を想定しているが、
水を供給すればさらに使用が可能である。また、この災害対応型ト
イレは、屋上に貯水槽（トイレ洗浄用）、地下には汚水槽、防火水槽
を設置してあり、屋上（防災倉庫側）にソーラーパネルを設置し、

トイレの照明や公園灯の電源として利用されている。

写真4 かまどベンチと多目的広場

　この浦安公園はこれまでに，一時的な避難場所となる2万平方メートルの広々とした広場や，災害時には"かまど"になるかまどベンチ，マンホールトイレ，臨時ヘリポート（三機発着可能）などの防災機能を整備した（写真4）。この他に，防災倉庫，多目的広場も整備され，防災面に配慮した公園となっている。浦安公園は平常時には市民の憩いの場として親しまれている。中央に小さな売店，子どもの広場，と多面的な広場などが設けられ，この公園の西に隣接して，小学校の避難地まである。この防災公園は，東日本大震災の教訓を生かし，災害対策に万全を期した，市民と行政の英知を結集した傑作である。浦安市の市民は胸を張って，「私たちの防災トイレはこんなにステキ」と世界に自慢することができるだろう。おそらくニューヨーク市民も，パリ市民も，ローマ市民も驚くに違いない。たとえ大震災が起こったとしても，このような防災公園に避難すれば大丈夫だ。この防災公園の近くに住んでいる方がうらやましいくらいだ。災害に備えた理想的な都市計画が具現化された例でもある。このようなことができるのは浦安市に豊かな財源があるからだけでなく，再び大震災が起こっても浦安市民が困らないようにと将来をしっかり見据えた，誇り高い市民と行政の見識の高さと努力の結晶に他ならない。

3. 浦安市の脱炭素，ゼロカーボンシティ宣言

1) カーボンニュートラル

　2015年に採択されたパリ協定や，これを踏まえた我が国の地球温暖化対策計画では，温室効果ガスの大幅な削減を示す新たな目標が掲げられ，2050年までに二酸化炭素の排出量を実質ゼロにすることを目指すとされている。我が国は2020年7月28日には，「廃棄物と環境を考える協議会」における自治体と共同で「ゼロカーボンシティ宣言」を行い，2050年までに二酸化炭素排出量の実質ゼロに取り組むことを表明した。ゼロカーボンとは，家庭や企業から出る温室効果ガスの排出量と，森林などによる吸収量を同じにすることだ。温室効果ガスの増加により，地球温暖化≒気候変動（climate change）が起こっている。気候変動は，気温の上昇だけでなく，海面の上昇，台風の大型化など，多くの影響を与える。これに伴い，自然災害の多発などが懸念され，人々が今の生活を維持できなくなる可能性があるのだ。2020年7月28日に宣言した時は，温室効果ガス排出削減目標を2030年度に2013年度比26％減としていたが，その後，2021年4月には，同年度比46％減を目指すという，さらなる高みに向けて挑戦することが発表された。改正地球温暖化対策推進法も2021年6月2日に公布され，2050年カーボンニュートラルが基本理念として位置づけられ，地域の再エネを活用した脱炭素化の取り組みを推進することなどが盛り込まれた。これに伴い，従来の低炭素社会の実現に向けた取り組みをさらに加速させた，脱炭素社会の実現が求められる。この実現のためには，従来から取り組んできた省エネルギー行動や再生可能エネルギーの導入を進めていくことに加え，多様なエネルギーを賢く選択・利用するための各種

技術や制度の活用などの先駆的な取り組みが求められる。

　このような国の流れを踏まえて，2020年7月に，浦安市では，2050年までに温室効果ガス排出量の実質ゼロを目指すゼロカーボンシティを表明した。そこで，この目標に向けて2021年3月に2021年から10年間を計画期間とする浦安市地球温暖化対策実行計画（浦安市ゼロカーボンシティ推進計画）を策定した。この計画における2030年の温室効果ガス排出削減目標は，2013年度比30〜35％減とし，この目標達成に向けて，今までに以下のような取り組みが行われている。

　まず，省エネルギー施策のさらなる推進や，再生可能エネルギーの利用促進などを行う必要がある。そこで，2021年5月より市庁舎で使用する電気を非化石証書の調達により温室効果ガスを排出しないものに切り替えた。また，都市ガスについても2022年1月よりカーボンニュートラル都市ガスに切り替えた。他の公共施設においても再生可能エネルギー電力を受給するよう，市全体の方針を定め，庁内の調整を図っていく。さらに，2022年度からの浦安市にあるクリーンセンター（焼却施設）延命化工事によって，廃棄物焼却による発電能力の向上を図り，市内小中学校への電力供給に向けた検討及び調整を行っていく。市域の大部分が埋立地で都市化が進んだ浦安市は，再生可能エネルギー導入ポテンシャルが高い地域ではないが，建物への太陽光発電設備の設置以外の再生可能エネルギーの創出など，さらなる再生可能エネルギーの活用に向けた方策を検討していく予定だ。

2）キャッチフレーズは「目指せ！ゼロカーボンシティ」

　環境問題は，一人ひとりの行動の積み重ねがとても重要だ。温室効果ガスを削減するためには，浦安市民一人ひとりが環境にやさし

い行動をとることが大切で，身近なところからできることに取り組む必要がある。例えば，家電製品を正しく使うことによる省エネルギー行動の実践や食品ロスが発生しないよう買い物や調理の際に心掛けるなど環境に配慮した生活の実践に協力することが必要なのだ。

そこで，浦安市では，市の広報紙や市ホームページにおいて，家庭における省エネのヒントなど家庭部門における脱炭素化に向けた情報提供を行っている。この中で注目すべきは「One more ECO」という取り組みだ。浦安市民が日頃から取り組んでいる環境にやさしい"あと一つ"の取り組み「One more ECO」の実践例やアイデアを紹介しあうのだ。また，2021年6月に，市民が日ごろから取り組んでいる家庭や職場などで身近にできる脱炭素化に向けた取り組みを「One more ECO」として募集した。募集内容は図表10-1の通りだ。

図表10-1のように，日頃から家庭や職場などで実践している環境にやさしい"あと一つ"の取り組みやアイデア「One more ECO」を募集したところ，多くの市民から応募をいただいた。その一部を下記に紹介する。

────────────────────

[家庭での取り組み編]

　節電・省エネに関して

▶ 節水タイプのシャワーヘッドに交換し，ガス使用量を削減する

▶ トイレや玄関などの照明を人感センサー付きLEDランプに交換し，消し忘れを防止し節電する

▶ エアコンをつける前に換気して暑い空気を逃す。遮光カーテンを閉める

▶ エアコンを使用しない季節は，プラグを抜いておく

ごみの削減に関して

図表10-1　脱炭素化に向けた取り組み「One more ECO」の募集内容

あなたの身近にある「One more ECO」をおしえて！

　ゼロカーボンシティを実現するためには，一人ひとりが環境にやさしい取り組みを積み重ねることが大切です。そこで，市民の皆さんが日頃から取り組んでいる環境にやさしい"あと一つ"の取り組み「One more ECO」の実践例やアイデアを募集します。家庭や職場などで，ちょっとした心掛けで誰でも実践できる，環境にやさしい取り組みやアイデアであれば何でも構いません。もし実践による効果が数字などで具体的に表せれば，その効果についてもご記入ください。例）電気料金が〇〇円安くなった　※応募された方全員に携帯用のアルミ製ストロー（2本セット）を差し上げます。

広報うらやす（2021）「目指せ！ゼロカーボン」浦安市．https://www.city.urayasu.lg.jp/_res/projects/default_project/_page_/001/032/278/koho1171_2.pdf（閲覧日：2022年7月25日）

▶ 生ごみを堆肥化し，その土で野菜を育てる

▶ 洋服はフリマアプリなどを活用し，リユースする

▶ 古着や使わなくなったタオルを雑巾として再利用する

[外出時・職場などでの取り組み編]

▶ マイタンブラー・マイカップを使用する

▶ 過剰に包装されている製品は避けて買い物をする

▶ 車をやめ，電動自転車で市内を散策する

▶ 市内の移動にはなるべく徒歩や自転車を使用する

▶ 会議資料などは紙に印刷せず，タブレットなどで閲覧する

広報うらやす（2021）「みんなのOne more ECOを紹介」浦安市https://www.city.urayasu.lg.jp/_res/projects/default_project/_page_/001/032/278/koho1177_1-8.pdf（閲覧日：2022年7月25日）

3) 省エネ家電への取り換え促進

　また，「One more ECO」では自宅の家電製品を省エネ家電に取り換えることを促進したり，電気使用量の多い家電製品のエネルギー効率のよい使い方を周知したりして，市民の行動変容を促す仕組みづくりをしている。最近の家電製品は，省エネ性能が飛躍的に向上している。古い機器を使い続けるよりも，最新の省エネ家電に取り換えることで電気使用量を減らすことができる。省エネ効果が高い家電製品は，電気使用量が多い製品だ。下記の家電は特に電気使用量が多く，この5つで家庭のおける電気使用量の47.6％を占めているという。内訳は以下の通りだ。

　冷蔵庫14.2％，照明器具13.4％，テレビ8.9％，エアコン7.4％，トイレ電気便座3.7％

　省エネ家電への買い換え効果を調べたところ，

●電気冷蔵庫401～450リットルの年間電力消費量

➡470～520kWh/年 取り換え前 ➡ 取り換え後 294kWh/年（年間約37～43％減）

●照明器具8畳タイプのシーリングライトの年間電力消費量

　取り換え前 約136kWh/年 ➡ 取り換え後 約68kWh/年（年間約50％減）

●エアコン8から12畳（2.8kW）タイプの年間電力消費量

取り換え前 923kWh/年 ➡ 取り換え後 815kWh/年（年間約12％減）

●テレビ40型液晶テレビの年間電力消費量

取り換え前144kWh/年 ➡ 取り換え後 83kWh/年（年間約42％減）

●温水洗浄便座の年間電力消費量

取り換え前 186kWh/年 ➡ 取り換え後 165kWh/年（年間約11％減）

広報うらやす（2021）「One more ECO 省エネ家電に取り換えよう！」浦安市. https://www.city.urayasu.lg.jp/_res/projects/default_project/_page_/001/032/278/koho1179_1-8.pdf（閲覧日：2022年7月25日）

という結果を得たそうだ。但し、上記は冷蔵庫・エアコン・テレビ・電気便座は2010年の製品から2020年製の省エネタイプに換えた場合であり、照明器具は蛍光灯シーリングライト（68W）からLEDシーリングライト（34W）に換えた場合の電力消費量である。このように、浦安市では、最新の省エネ家電に取り換えることで電気使用量を減らすことができるということを周知している。また、家電製品を正しく使用することも大きな省エネ効果と電気料金の節約につながるため、下記のようにエネルギー効率の良い使い方を推奨している。

家電製品を正しく使用するとともに、省エネルギー型の製品に切り替えることが大きな省エネ効果と電気料金の節約につながります。家庭で電気を多く消費している製品の省エネ方法をぜひお試しください。エネルギーを効率よく使いましょう。

4）電気消費量が多い家電

●1位　電気冷蔵庫（14.2%）　「とりあえず保存」をやめましょう

　食べ残しや常温で保存できるものを，とりあえず冷蔵庫に保存してそのままにしていませんか？　冷蔵庫を整理し，中身を半分にした場合，年間CO_2削減量21.4kg，電気代約1,180円の節約につながります。

●2位　照明器具（13.4%）　電球形LEDランプに切り替えましょう

　54Wの白熱電球から9W電球形LEDランプに交換した場合，年間CO_2削減量43.9kg，電気代約2,430円の節約につながります（2,000時間使用した場合）。

●3位　テレビ（8.9%）　画面の明るさを調整しましょう

　32V型のテレビ画面の輝度を最適（最大→中間）にした場合，年間CO_2削減量13.2kg，電気代約730円の節約につながります。

●4位　エアコン（7.4%）　適正な室内温度になるよう調整しましょう

　エアコン使用時の室内温度を夏は28℃，冬は20℃を目安にすることで，年間CO_2削減量40kg，電気代約2,250円の節約につながります。

広報うらやす（2021）「目指せ！ゼロカーボン」浦安市．https://www.city.urayasu.lg.jp/_res/projects/default_project/_page_/001/032/278/koho1171_2.pdf（閲覧日：2022年7月25日）

　そのほか，温水洗浄便座（3.7%）に対しては，夏の間は便座の暖房を切る，洗浄水の温度を低く設定するということを市民にすすめている。

広報うらやす（2021）「猛暑の原因は地球温暖化？」浦安市．https://www.city.urayasu.lg.jp/_res/projects/default_project/_

page_/001/032/278/koho1173_2.pdf（閲覧日：2022年7月25日）

5）みんなでいっしょに自然の電気

さらに，「みんなでいっしょに自然の電気キャンペーン」と称して，図表10-2のように，家庭，商店，従量電灯BまたはCの事業所を対象に，太陽光などの再生可能エネルギー由来の電気を共同購入することを啓発している。

図表10-2 「みんなでいっしょに自然の電気」

広報うらやす（2021）浦安市. https://www.city.urayasu.lg.jp/_res/projects/default_project/_page_/001/032/278/kouhou1182_1-8.pdf（閲覧日：2022年7月25日）

6）うらやすエコホーム補助金

　電気などのエネルギー自体を，太陽光など環境にやさしいエネルギー（再生可能エネルギー）に転換することで，温室効果ガスの大きな削減効果を得られる。浦安市では，住宅の省エネルギー化を促進するため，太陽光発電システムや家庭用燃料電池システムなど（中古品を除く）を設置する市民，またはこれらの設備が付属している住宅を購入する市民に対して，浦安エコホーム補助金を交付している。対象設備と補助金限度額は，それぞれ，住宅用太陽光発電システム，リチウムイオン蓄電システムに10万円，家庭用燃料電池システム，太陽熱利用システムに5万円，そして断熱窓に8万円が支給される。

4．まとめ

　冒頭で述べたように，浦安市は日本国内でも有数の充実した都市だと考えられるが，再び2011年に起きた震災のような大震災に見舞われる日はそう遠くないことを感じている。筆者が慣れ親しんだ浦安市は，大震災にどう備えて，発生した時にどう対処するのだろうか。そのためには街づくりの際に防災の視点を入れ，ここで紹介した浦安公園のような防災を兼ね備えた公園を拡充していくことが必要だと考える。また，我々市民は，防災のハード的な部分を整備してくれる浦安市に頼っているだけではなく，自ら考え，来るべき時に備えて近隣住民と協力体制を作っておくことが重要であろう。

　また，前述したように，2020年7月に，浦安市では，2050年までに温室効果ガス排出量の実質ゼロを目指すゼロカーボンシティを表明した。この目標を達成するべく，浦安市では市民も巻き込んだ様々な取り組みが行われている。

このように，浦安市は近代的な都市空間だけでなく，魅力的な水辺空間を兼ね備えた緑豊かな環境都市となり，そして同時に災害に強い街になっていくことを心から願っている。

第3編　教育

第11章　キャリア教育日本一

渡邉　伸子

（国家資格キャリアコンサルタント
JCDA認定キャリアカウンセラー
学校支援コーディネーター）

1.　はじめに

「キャリア教育」とは「一人一人の社会的・職業的自立に向け，必要な基盤となる能力や態度を育てることを通して，<u>キャリア発達</u>[※1]を促す教育」である。

それは特定の活動や指導方法に限定されるものではなく，様々な教育活動を通して実践される。キャリア教育は一人一人の発達や社会人・職業人としての自立を促す視点から，変化する社会と学校教育との関係性を特に意識しつつ，学校教育を構成していくための理念と方向性を示すものである。

キャリア教育はキャリアが子ども・若者の発達の段階やその発達課題の達成と深くかかわりながら段階を追って発達していくことを踏まえ，幼児期の教育から高等教育に至るまで体系的に進めることが必要である。その中心として<u>「基礎的・汎用的能力」</u>[※2]を子どもたちに確実に育成していくことが求められる。また，社会・職業との関連を重視し，実践的・体験的な活動を充実していくことが必要である。

※1 キャリア発達とは社会の中で自分の役割を果たしながら，自分らしい生き方を実現していく過程のこと
※2 「基礎的・汎用的能力」とは 1. 人間関係形成・社会形成能力 2. 自己理解・自己管理能力 3. 課題対応能力 4. キャリアプランニング能力

(中央教育審議会「今後の学校におけるキャリア教育・職業教育の在り方について（答申）」・平成23年1月31日より)

　キャリア教育の活動は特定の新しい教育活動を指すものではなく，学校教育全体の活動を通じて体系的に行われる必要があり，特に子ども・若者が実社会を体験し，それを基に自ら考える行動が不可欠である。また，効果的な実施のための体制整備のために，学校と企業等との調整（コーディネート）を図る人材の配置等の推進も望まれる。

(文部科学省ホームページ「キャリア教育の内容と課題」より)

　学校では先生方がクラス運営，教科，行事，部活動，生徒指導，進路指導を行いながら「基礎的・汎用的能力」を意識し，キャリア発達を育成するよう日々生徒と向き合っている。

　ここ数年のコロナ禍で衛生面の指導が加わり，リモート授業，行事の中止と代案の計画実行，学校内の活動制限や工夫などが続く中，2022年4月からは成人年齢が18歳に引き下げられたため，高校3年生は次々と成人を迎えている。

　学校，先生，子どもたちにとって大変な時代になったいま，浦安市内の学校が外部と協働してどのようなキャリア教育を行っているのかをお伝えしたいと思う。

　私は25年間，いろいろな立場（PTA役員，学校評議員，学校支援コーディネーター，青少年健全育成委員会など）で学校を支援してきたた

め，個人的視点も多々あることをご了承いただき，併せて，冒頭の
キャリア教育の定義を見ながらお読みいただけると幸いである。

2. 千葉県立浦安高等学校の「インターンシップ」

> 　高校生の発達段階に応じたキャリア教育推進のポイントは
> 「生涯にわたる多様なキャリア形成に共通して必要な能力や態
> 度を育成し，これを通じて勤労観・職業観等の価値観を自ら形
> 成・確立する」である。それには学校内における教育活動だけ
> ではなく，体験的な学習活動は推進する上で極めて重要な取り
> 組みの一つである。(中央教育審議会「今後の学校におけるキャリ
> ア教育・職業教育の在り方について（答申）」・平成23年1月31日)
> 　平成30年度の全国公立高校におけるインターンシップの学
> 校単位の実施率は，84.9％であった。(令和2年，国立教育政策
> 研究所発表)

　高校生のインターンシップは，進路が決まっていない生徒には職
種を経験したことでその周りに目を向け，進路を研究するきっかけ
になる。進路を決めている生徒にとっては，将来進む可能性のある
仕事を経験することで，職業観を確立できる。就職，進学などの進
路に関わらず，自己理解が進み自分の適正を知ることにもつなが
る。

　このようなことから，インターンシップはどの生徒にとっても貴
重な体験になる。全国での実施率も高い。

　インターンシップの経験をその後のキャリア形成に活かすための
課題は以下である（文部科学省キャリア教育手引きより）。

・一過性のイベントにしないために個別支援を継続する。そのためには十分な事前指導と事後指導が重要である。

・有意義な個別支援を行うためにはキャリアカウンセリングが有効である。

としている。

　そのような課題を意識し，千葉県立浦安高等学校2学年の希望者が行うインターンシップでは，事前と事後の合計2回，キャリアコンサルタントが個人面談をしてキャリアカウンセリングを行っている。

1）インターンシップの概要

① キャリアコンサルタントと事前の個人面談（キャリアカウンセリング）

　高校生のインターンシップをより充実させ自己実現につなげるためには，生徒への意識付けを明確にする必要があると考え，2019年度から事前の個人面談を行っている。インターンシップを希望する生徒はまず予備調査で体験したい職種や職業を考え，その後キャリアコンサルタントと1対1で面談を行う，という流れだ。

・この体験で何を学びたいか（何を経験したいのか）

・そう思う理由

を確認しながら，いま好きなこと，困っていること，学校生活で何が楽しみか，中学校の職場体験で印象に残っていることなども聞くうち，生徒の自己探索が深まり，不安な部分や複雑な心情を語ることもある。

　この面談を経て体験したいことを確認した生徒は，「進路を決めるためにチャレンジする」「不得意を克服したい」など，学びたい事とその理由を自覚できる。

　自分を理解して決めたインターンシップは，行う理由が明確にな

る。理由が明確になると取り組む姿勢が変わり，それによって行動が変わり，得られる体験も経験値も変わってくる。

また，事前の面談で素直に自分を語る体験は，インターンシップ先で初対面の大人と接する準備にもなると感じる。

② 先生との事前指導では履歴書つくり

全員の生徒の希望職種が出揃うと，学校支援コーディネーターが中心になって事業所を探していく。

一方，生徒は事業所調べや礼儀指導などの事前指導を受けるとともに，事業所に提出する自分の履歴書を作成する。受け入れてくださる事業所の方へ自分を伝える第一歩だ。作成しながら事業所の方が読む場面をイメージし，楽しみと緊張感が湧き出てくることだろう。

③ キャリアコンサルタントと事後の個人面談（キャリアカウンセリング）

最大3日間のインターンシップを終えたあとは日誌を作成し，後日キャリアコンサルタントと再び会い，事後の個人面談を行う。

・体験したことで見えた自分を確認する

・自分の適性や個性について考える

ために面談を進める。学びたい事はできたか，やりがいを感じたのはどのような事か，乗り越えられていない部分はあるか，いまの自分をどう感じているか，この体験はどんな意味があったと思うか。生徒が自分の言葉で語れるように，キャリアコンサルタントは受容と共感の心でゆっくりと面談する必要がある。

ある年度の男子生徒は「なりたい仕事に近い業界で3日間体験した。思っていたより難しいと感じた。大変でもその方向で進路を決めたい。3日だけど体験できたことが嬉しい。その時に担当してくれた企業の方から，仕事に就くためのアドバイスをもらった。何を勉強するのかイメージが変わった。」

ある女子生徒は「進路は決めていないけれど，人見知りを直したいので選んだインターンシップ先で何とかできたことが自信になった。その経験ができたので，できるかわからないが，やりたい事を進路に選ぼうと思えた」

　2回の個人面談は自分自身を理解することにつながり，インターンシップの効果を高める。

④ このあとの生徒たち

　このあと生徒たちは，具体的な進路を考える時期に向かう。インターンシップの体験で自己理解と自己肯定感が得られたこの経験を今後の学校生活や進路決定に活かす様に，進路指導や担任の先生と連携してほしい。

2）協働の効果

　個人面談を通じて生徒が自己理解を深め，体験に意味が加わるので，この部分に専門家が関わることは有意義な個別支援につながる。先生の負担軽減にもなるなど，協働の効果は大きい。

3）今後に向けて

　生徒が自己理解を深め成長していくために，いつでもキャリアコンサルタントに相談できる仕組みができたら良いと思う。生徒の自己理解，自己実現のために支援できることはまだたくさんある。

3. 浦安市立見明川中学校の「職業講演会」

> 中校生の発達段階に応じたキャリア教育推進のポイントは「自らの役割や将来の生き方・働き方を考えさせ，目標を立てて計画的に取り組む態度を育成し，進路の選択・決定に導く」である。この時期は他者とのかかわり，様々な葛藤や経験の中で，自らの人生や生き方への関心が高まり，自分の生き方を模索し，夢や理想を持つ時期であり，一方で，現実的に進路の選択を迫られ，自分の意志と責任で決定しなければならない時期でもある。
>
> 各学校においては，キャリア教育の視点で，各教科・道徳・総合的な学習の時間・特別活動や日常生活におけるそれぞれの活動を体系的に位置付けることにより，能力や態度の効果的な育成を図ることが必要である。その中で，職場体験活動は，ある職業や仕事を暫定的な窓口としながら実社会の現実に迫ることが中心的な課題となる。（中央教育審議会「今後の学校におけるキャリア教育・職業教育の在り方について（答申）」・平成23年1月31日）

全国の中学校で行われてきた職場体験活動は，ここ数年はコロナ禍で行えていない中学校がほとんどで，代わりに実施されているものの1つに職業講演会がある。

職業講演会を行うにあたり，文部科学省キャリア教育手引きでは「単発イベントにしないための工夫が必要だ。『講師の話を聞き感想を書く』だけの講演会にしないよう，この講話がどのような意味合いを持つものなのか，次の学習にどう結び付いていくのかを示せる

よう，系統的な計画を立案する必要がある」としている。

この様な推進ポイントと課題を意識し，浦安市立見明川中学校では次のような講演会を行っている。

1）卒業生が講師になった2021年度の1学年「職業講演会」

見明川中学校でもこれまで1学年で行っていた職場体験は2019年度が最後で，それ以降は職業講演会を実施している。2021年度は職業講演会の講師に卒業生をお呼びしようと学年の先生方が決め，学校支援コーディネーターが探し実現した。

講師7名の中から生徒は事前に3名を選び，当日は部屋を3回移動して話を聞いていった。

この講演会で生徒たちは，講師やその方の職業を身近に感じ，大人になることをイメージできたようだった。また，どのような中学校生活を送ったのか，卒業後にどんな進路を経てその仕事に就いたかなどを卒業生から直接聞くことは，自分への気づきにもなったようだ。

生徒たちにとって先輩との出会いは見明川中学校の歴史との出会いでもある。自分も学校の歴史に加わると感じるのはずっと先かもしれないが，いつかそう思う時が来るだろう。卒業生の話しを聞く意義はたくさんあったと感じた。

見明川中学校の同級生3人でITの会社を立ち上げたG君（27歳）が講師で参加してくれた。G君への生徒からの感想をご紹介する（抜粋）。講師との交流を通して，生徒が自分の生き方を考える様子がわかる。

・小さな疑問から自分の興味につなげていくことが良いということがわかり，これはIT以外でも自分が興味を持ったものに生かすことができると思いました。

- 自分の好きなことを将来に繋ぐことができることをすごいと思い，自分も趣味や好きなことを将来に繋げられるように頑張りたいです。
- 印象に残ったのは仲間を大事にすることと，人に頼るということです。これからの生活では人間関係をよくしていき，わからないときは人に頼っていきたいとおもいました。
- 印象に残ったのは「やりたいことはやる」ということです。今の生活の中で失敗しても継続し，周りの人を頼り，友達を大切にしていこうと思いました。
- 私も職業を決める時は，好奇心や疑問に思ったことで仕事を決めたいです。将来たくさん仕事を選べるように今は勉強をがんばります。

2) 2022年度の1学年「キャリアコンサルタントの授業」と「職業講演会」

　2022年度の見明川中学校1学年のキャリア教育は，キャリアコンサルタントが協働して体系的カリキュラムを作成しながら取り組んでいるところだ。中央教育審議会指摘の「職場体験や職業講演会を一過性のイベントにしない工夫を」と「各教科との相乗効果が生まれるように」との課題を意識した，下記の様な内容を予定している。（2022年8月時点）

　年度始めに，中学生のキャリア発達課題を踏まえた1学年の目標を掲げた。この学年目標をもとに1学期の授業を組み立て，夏休みには課題も出した。

　9月に，夏休みの課題を題材にしてキャリアコンサルタントが1時間授業をする予定だ。授業内容は，その課題の回答に生徒が「問い」をつくり，教科，道徳，総合的な学習や特別活動がどのように

「基礎的・汎用的能力」の育成に関わるのか考えようというものだ。ディスカッション方式にし，先生方にも参加して頂く。

10月には生徒自身が「自己と社会・教科の関連」に対しそれぞれの「問い」と「解」を持つことができるように目指し，11月予定の職業講演会では各講師にも同様の「問い」を投げかけ「解」を生徒と講師で考えるという，参加型の講演会を計画している。

そして，掲げた学年目標とともに「基礎的・汎用的能力」の育成も目指しながらそれぞれの生徒が意欲をもって学習に取り組めた1学年を終了できるように，成長して2学年を迎えられるようにしていく。

今後2学年，3学年でも体系的カリキュラムを展開する予定だという。きっと「自らの役割や将来の生き方・働き方を考えさせ，目標を立てて計画的に取り組む態度を育成し，進路の選択・決定に導く」ことができるだろう。このように本気で体系的キャリア教育を進める見明川中学校に，この先も貢献できたら幸せだ。

3）協働の効果はたくさんある

体系的カリキュラムを作るときは，この様にキャリアコンサルタントと一緒に行うと良い。年度始めの計画段階から一緒に作ることで，学校や学年目標に軸を作りカリキュラムに反映させる手伝いができる。また，教科とキャリア課題が重なる部分を整理することも手伝え，先生の負担軽減になる。協働の効果は大きい。

4）今後に向けて

2022年度の見明川中学校のように，年度始めにこのような協働を経てしっかりと計画ができると，1年間を通して主体的で体系的なキャリア教育が実現できる。多様化し変化が続く社会を生き抜く

ための能力を育てるキャリア教育。専門家が支援する仕組み作りが，そろそろ必要なのではないかと思う。

4. 東海大学付属浦安高等学校の「金融教育」

> ・金融教育は，お金や金融の様々な働きを理解し，それを通じて自分の暮らしや社会について深く考え，自分の生き方や価値観を磨きながら，より豊かな生活やよりよい社会づくりに向けて，主体的に行動できる態度を養う教育である。
> ・キャリア教育は個々人に相応しいキャリアを形成していくために必要な意欲・態度や能力を育てることを目的とするものであり，金融教育の「キャリア教育に関する分野」とほとんど重なっている。
> ・学校において金融教育に取り組む際は，教科等の学習において，お金を題材に取り上げたり，自分の暮らしや将来，自分と社会とのかかわりを意識させたりしながら，それらを総合的な学習の時間につなげ，体験的学習などを交えながら，自分の生き方や価値観の形成に導いていくというかたちが望ましい。（金融広報中央委員会「金融教育プログラム」より）

　上記は金融庁のプログラムであるが，キャリア教育からみても「基礎的・汎用的能力」の育成にお金のことは切り離せない。
　そこで，金融教育（金融経済教育）の実施度合を調べてみた。
　中学校・高等学校における金融経済教育の実態調査報告書（平成26年4月 金融経済教育を推進する研究会/事務局 日本証券業協会）によると
・金融経済教育の必要性を教員が認識しているか？

→中高の別，教科にかかわらず，「必要である」「ある程度必要である」が合計で9割以上
・金融経済教育の実施時間について。各学年別の回答で最も多かった時間数は？
　　→中学校1年生「0時間」(74.2%)　中学校2年生「0時間」(58.2%)　中学校3年生「1〜5時間程度」(44.6%)　高校1年生「1〜5時間程度」(60.9%)　高校2年生「1〜5時間程度」(49.3%)　高校3年生「1〜5時間程度」(47.7%)
・これまでに行った金融経済教育で「お金の大切さや計画的な使い方」「働くこととお金」といった生活設計の基礎的な分野の実施割合は？
　　→中学校・高校6年間を通じて3割弱

　この様に学校教育での実施は多いとは言えない。18歳成人になったいま，金融教育も体系的に学ぶ必要があるが，学校教育ではどの教科でどのように，どこまで取り上げればよいのか迷いがあると言われている。今後の金融教育を進めるための課題は，この辺にあると感じる。

　そんな現状の中，総合の時間を年間5回使って「お金に困らない人生設計」と題した金融教育を実施しているのが東海大学付属浦安高等学校だ。

1）一歩先を行く授業「お金に困らない人生設計」

　授業内容は体系化されており，3年間かけて行う。

　授業を担当するのはファイナンシャルプランナーで，2020年度から実施し3年目を迎える。

　「お金に困らない人生設計」の学年別テーマ

　　　1年生　仕事・起業

2年生　人生100年時代を生き抜くためのアイディアと成長

3年生　資産形成とその目的

　学年が進むごとに知識が交差し積み重なっていくようにテーマを決め，3年間を通して行う金融教育である。このカリキュラムは先生方の意向も取り入れている。

2) 年間5回の取り組みで生徒が学ぶこと

　3学年とも以下の様な流れで授業は進む。

　1回目はお金の講義。ここで学ぶことは，収入と支出の質，業種別の生涯賃金，企業寿命，ジョブ型雇用とメンバーシップ型雇用，働き方の種類，今企業で求められる人材や人間性，株や金利，投資の種類，投資で得られるメリットデメリットなど。

　2回目と3回目はクラスごとで行う，出されたお題に班で取り組むケースメソッドだ。お題は学年テーマに沿って出される。作品を完成させながら学ぶのは，自分の頭で考え言葉にして周りに発信する力，お互いの意見を受け入れながら形にする力や企画力。

　4回目は班で仕上げた作品をクラス内でプレゼンテーションする。ここで学ぶことは，日本語力，説得力，リーダーシップ，プレゼンテーション力。パワーポイントを使ったプレゼンテーション資料を班ごとに作成していて，得意な生徒が力を発揮した素晴らしいものもある。班内の役割分担がうまくいくと，こんなところでも形に現れる。全部の発表を経てクラス代表になる1班を選ぶ。

　5回目は学年プレゼンテーション大会だ。壇上に上がったクラス代表は，スポットライトに照らされ緊張の中のプレゼンテーションを体験する。また，講師からの突っ込んだ質問に即座に答えるコーナーでは言語力，瞬発力も体験する。

　以前，1年生で「差別化された，どこにもない飲食店をつくろう」

というお題で最優秀作品に選ばれた作品は，店の形態，立地，お客様のターゲット層，メニュー，材料の仕入れ先，コロナ対応，働くスタッフに求めるもの等に細かいアイディアとその理由を考えていた。さらに資料もオリジナル性が高かった。お題に取り組む中で，多くの探求があった。

3) 3年間のシリーズだからできること

　情報収集し自分で考え何かを生み出す中で答えを見つける，生きた金融教育を高校生には受けてほしい。3年間のシリーズで実施できることで体系的，実践的に学べる時間数があり，内容も金融教育だけでなくキャリア教育と交差できるという効果もある。

　このカリキュラムにはクラス別のケースメソッドがあるため，担任の先生方も一緒に調べたり，班を回って助言したりしてくださる。

4) 今後に向けて

　在学中に高校3年生が成人を迎えるこの時代に，金融リテラシーは不可欠だ。「お金」について学ぶ，体系的金融教育を行う学校が増えてほしい。

5. 浦安市内の中学校の「お金の授業」

　中学校で学ぶお金の事は，家計の収入と支出の関係，各種カードなど見えないお金の知識，お金の使いすぎへの警告，生活設計の必要性などの消費教育が中心だ。教科書以外の金融教材や指導書は金融庁や金融広報中央委員会，全国銀行協会などから入手できるが，内容が多岐にわたっていて，どの部分を授業に採用するのかを先生

方が選択するのは難しいかもしれない。

　また出前教室を提供する機関も多数ある。例えば東京証券取引所，日本FP協会や保険会社，証券会社，銀行などが提供しているが，授業との整合性や授業時間確保が難しいともいわれている。

　ここで紹介する中学校でのお金の授業は，学習指導要領（家庭科）の項目に沿うものを専門家の視点で深堀した内容だ。もともと家庭科の先生から「教育課程の中の専門知識不足を埋める授業」の依頼をうけた事から始まった。2018年度以来，毎年ファイナンシャルプランナーが学校に出向き，教育課程に沿ったお金の授業を行っている。

　これまで浦安市立では見明川中学校，入船中学校，明海中学校，東海大学付属浦安高等学校中等部で実施し，この授業を受けた生徒数は約1,100人になる。

1）クラス単位で行う，対話方式の「お金の授業」の内容

　家庭科の1時間を使い，現役ファイナンシャルプランナーが対話方式で進める授業だ。クラス単位で行うので外部講師を迎えても生徒はみんなリラックスし，講師と会話をしながら笑いも交えて進む。

　授業内容は18歳成人の注意点，一人暮らしと4人家族の支出額と内容，中学生のなりたい仕事ランキングと仕事選びの考え方，世界の金融資産の現状，世界のキャッシュレス事情など。また，高等学校の授業料とその金額の考え方についても触れる。

　最後に生徒へ問いかけをし，今の自分の価値観を知ってもらいながら「消費と浪費の違い」「今後の人生で大切にしてほしいこと」などを考える。

2)「お金の授業」を受けた生徒の感想（抜粋）

・一人暮らしで使うお金の多さに驚いた

・お金のことをもっと知りたい

・お金をたくさん手にしても，楽しいことがあるのに対して，生活を変えてしまうことがあることを知った

・もっとお金の仕組みについて知らないと自己破産など怖いこともいっぱいある！

・たくさん頑張ってお金を稼いでくれている親にとても感謝しなきゃなと思った

・将来に向けて考えることや，お金の使い方などをしっかりと理解していくことが大切だと思った。

・お金のことを親と話したりしていきたいと思う

・人が生きていくためには，たくさんのお金がかかることが分かった

・ささいなことでも，行動するときはしっかり考えてから行動できるようにしたい

・専門家のお金の話は貴重だった。

3）ファイナンシャルプランナーが授業を行う利点

　ファイナンシャルプランナーはお金の専門家だ。お金は生き方と深いつながりがある。お金を題材にしながら「生き方」につなげることや「どう使うか」という消費教育を深めることもできるので，どのような切り口からでもお金の授業が行える利点がある。

　世の中にファイナンシャルプランナーはたくさんいるが，学校の事を理解し，先生の要望をきちんと受け入れた上で，授業を組み立てることができるような専門家を選ぶことが重要だ。

4）今後に向けて

　消費という使い方に焦点をあてるだけでなく，「自分の生き方や価値観の形成に導く，金融教育」を多くの中学生に受けてほしい。お金を学ぶことは人生を学ぶことなのだ。

6．小・中学校と高等学校の「学習交流」

> 　「キャリア教育・職業教育の充実のための様々な連携の在り方」については，学校間で，各学科の教育力をいかした協力や，先進的な取組の共有等が必要である（中央教育審議会「今後の学校におけるキャリア教育・職業教育の在り方について（答申）」・平成23年1月31日）

　千葉県教育委員会「お兄さん，お姉さんと学ぼう」事業でも，近隣の小・中学校に出向き，学習支援や課外活動の援助を行うことを推奨している。（千葉県教育委員会ホームページより）

　中学生と小学生の学力向上を高校生が支援する，学習交流がある。

1）中学校に高校生が来てくれる

　浦安市立見明川中学校1年生の希望者に対し，東海大学付属浦安高等学校の生徒が講師になり，勉強指導をする学習交流だ。2017年度から始まり，今年で6年目を迎えた。時期は夏休みの3日間，科目は数学で「夏休みフォローアップ講座」という名称である。

　1学期を終えて苦手意識が残った勉強を夏休み中に克服できたら，2学期を楽しみに迎えられるのではないか。勉強を教えてくれるのが近隣の高校生なら，教えてもらいたい中学生は多いのではな

いかと考えた学校支援コーディネーターの提案から実現した学習交流だ。講師には同じ学区の東海大学付属浦安高等学校の有志のみなさんが，毎年快く引き受けてくださる。

中学生は25名ほどの1年生が参加，講師の高校生は，1年生から3年生の有志5～7名が協力する。高校生一人で3名前後の中学生を担当し，見明川中学校数学科の先生が用意した問題プリントを使用して学習を進めていく。

中学生は初日，少し緊張気味だが集中して問題を解き，解らないところは素直に質問していく。粘り強く質問し続ける場面もある。苦手意識がある科目を楽しそうに2時間休みなしで取り組める力があることに，中学校の先生方はいつも驚く。一日が終わると，理解できた事や難しかった箇所などを記録し，そこに高校生がアドバイスのコメントを記載してくれるので，翌日はそのコメントを読むことから始まる。2日目からは楽しい会話も増え，最終日は別れるのが寂しくていつまでも教室に残る中学生もいる。数学が分かって嬉しいと同時に，高校生へのあこがれを感じている様子も見え，ほほえましい。

講師の高校生は解らない部分だけでなく関連した箇所もさかのぼって，本当に丁寧に教えていく。できたところをほめることも忘れない。教える会話の中から，中学生の理解度や個性を感じ取り，教え方を変えるなど工夫もする。中学生の反応が良いと教えることに手ごたえを感じ，もっとわかりやすく教えたいと意欲をみせる場面もある。教えるだけでなく，中学生を楽しませたいという気持ちも現れ，高校生は素晴らしい人間力を見せてくれる。

2）双方にとって良い経験

中学生は，3日間勉強をやりきったことに自信をつける。毎日の

振り返り表には，高校生への感謝と達成感を書く生徒が多い。頑張れば自分もあんな風な高校生になれるという思いを抱く生徒もいる。頑張れたことを自信にし，ぜひ記憶に残してほしいと思う。

　高校生も，良い経験になったと話をしてくれる。多く聞かれるのは，「中学生が自分を頼りにしてくれたことが嬉しかった」「自分の教え方で理解できたと言ってくれたことが嬉しい」ということだ。高校生にとっても自己肯定感が得られる。

　双方に良い経験になる取り組みを，この先も続けていけるよう支援したい。

3) 今後，小学校でも学習交流を実施する

　2022年12月，1日だけの開催予定で，浦安市立見明川小学校1年生から6年生の希望者に対し，東海大学付属浦安高等学校の生徒が算数を教える「まなび教室」を計画している。今年初めての試みに小学生60名，高校生55名が参加する予定だ。

　学区内の小・中・高校が学習で連携するという素敵な取り組みが実現している浦安である。

7. 「高校生の第三の居場所」

　令和元年度（平成31年4月1日から令和2年3月31日までの1年間），千葉県公立高等学校（全日制と定時制合計）における長期欠席生徒数は2,916人（全生徒に対する割合は2.91％）長期欠席生徒の中で不登校理由の生徒数は2,381人

※長期欠席とは当該年度間に連続または断続で30日以上欠席したもの
※不登校とは長期欠席理由が「病気と経済的理由」を除いたもの

高等学校（全日制）の生徒の不登校の要因（本人に係る要因）の上位は

①無気力，不安　38.7%

②生活リズムの乱れ，あそび，非行　22.0%

公立高等学校の中途退学者は972人　その理由は

①学校生活・学業不適応52.5%　②進路変更25.3%　で

①学校生活・学業不適応の内訳は

もともと高校生活に熱意がない（41.6%），人間関係がうまく保てない（20.8%），授業に興味がわかない（14.5%）となっている。

（令和元年度「児童生徒の問題行動・不登校等生徒指導上の諸課題に関する調査」千葉県教育庁教育振興部児童生徒課）

　人は話すことで考えがまとまったり不安が解消されたりするものだ。高校生がもし無気力や不安を感じる気持ちを話す相手がいたら，人間関係のモヤモヤを誰かに話せたら，高校生活に熱意がない理由を否定しないで聴いてくれる大人がいたら，学校をあきらめないかもしれない。

　そう思うと，高校生が心を開いて話すことができる大人が必要なのではないか。話を聴く大人がいる場所があれば，高校生を支えることができる。

　児童生徒の居場所づくりを展開しているNPOなどの団体は全国にある。千葉県内にも多数あるのだが，そのほとんどは小中学生対象だ。高校生対象だと不登校，生活困窮者世帯，療育世帯若者等に対象が絞られてしまう。唯一松戸市が対象に条件をつけず18歳までの子どもの居場所を開設している。高校生が自由に立ち寄れて，大人と話ができる安全な場所つくりを実施しているのは，千葉県内

では松戸市にしかなかった。（2022年5月時点・渡辺調べ）

　しかし2022年6月，浦安市内にも高校生の居場所「放課後ふらっとRoom♪OKAERI」ができた。

　場所は浦安市青少年館内で，毎週月曜日と木曜日の午後3時30分～6時30分開催している（2022年8月現在）。主催しているのは，うらやす財団である。

1）「放課後ふらっとRoom♪OKAERI」とは

　浦安市に在住・在学の高校生のための，「自分を発見できる場所」である。

　♪OKAERIでは「ききて」のキャリアコンサルタントが待っており，「話したいことを話せる」「ほっとできる」「ありのままの自分を出せる」ように，高校生と関わっていく。

> 　ウキウキ話でも，もやもや話でも，将来の話でも……誰かと話したいっていうとき，放課後，気軽に立ち寄ってみてください。お話を聴きます。
>
> 　話をすると自分のことがわかったり何かを発見できますよ。おしゃべりしましょう。
>
> 　家族でもなく，先生でもない，「ききて」が♪OKAERIで待っています。

　このような呼びかけチラシを作成している。

2）♪OKAERIの役割

　高校生が自分を知って自分を認めることができるように支援することが，♪OKAERIの役割だ。困ったときばかりでなく，肯定

してほしいときにも，誰かを頼っていいのだと伝えたい。

　多くの高校生が自分らしい人生を送ることができるよう，心から
願っている。

8. おわりに

　浦安市内で行われているキャリア教育は，この様に学校と専門家
が随所で協働していて，体系的，実践的で力強さがあると感じる。

　浦安のキャリア教育はきっと，日本一である。

第12章　浦安市の伝統「ベカ舟」を伝える木育の事例

土居　拓務

（明治大学兼任講師，森林総合監理士）

1.　木育とは

　木育とは2004年に北海道の「木育プロジェクト」のなかで提案された新しい教育の概念になる。2006年には林野庁が策定する「森林・林業基本計画」にも織り込まれ全国的に使用される用語として定着した。木育の理念を定義した「木育プロジェクト報告書」によると，「木育とは，子どもをはじめとするすべての人々が『木とふれあい，木に学び，木と生きる』取り組みであり，子どもの頃から木を身近に使っていくことを通じて，人と，木や森との関わりを主体的に考えられる豊かな心を育むこと」と記載されている。

　木や森と触れ合うことは教育上のメリットがあると考えられている。特に有名なのは1950年代にドイツで発祥し，現在も広がりを見せている「森のようちえん（Wald Kindegarten）」であろう。幼稚園とはいうものの，子ども達を学ばせる空間に校舎や机や椅子があるわけではない。森そのものが学習の場であり，子どもたちは森での遊びを通じて，自然の営みを感じる力，自分で学び考える力などを習得していく。「森のようちえん」を経験した子どもは，経験しなかった子どもと比較して想像力や集中力に長けるという研究結

果も出ている。木に触れることによるプラスの効能は様々に研究がなされており，今や木材は子どもに限らず大人にとっても心身の健康を保つうえで重要と言っても過言ではない。

特定非営利活動法人芸術と遊び創造協会は東京おもちゃ美術館のWebサイト「木育ラボ」において，木育を「木が好きな人を育てる活動」と明快に定義し，その活動目的を「かきくけこ」の頭文字で説明している[注60]。

か：環境を守る「木育」

木育は木を好きになり，木を暮らしに取り入れるだけでなく，その木材が環境に配慮しつつ伐られたものであることを意識する必要がある。例えば，林業業界では違法に木が伐採されて森林が荒廃に追いやられる事態もたびたび発生する。木（特に間伐などの森林整備の過程で発生した木材）を使うことは環境に良い影響を及ぼす。そのような環境への配慮を意識したうえで，木を使うことが重要になる。

き：木の文化を伝える「木育」

「日本書紀」に須佐野乃尊がヒノキは宮殿，スギとクスノキは舟に使用するのが良いと伝えたことが記録されている。日本は国土の約4分3が山地の島国であり，縄文時代から木材を有効活用し，木の文化を育んできた。木に触れ，木でものを作ることは日本文化を伝承していくことにもつながる。

なお，本稿で執筆する浦安市の木育事例は文化を伝える要素がもっとも大きいであろう。詳細は後述するが，ベカ舟とは浦安市の伝

（注60）木育ラボWebサイト「木育とは」を参照のうえ，筆者が内容を追記している。

統漁業を伝える重要な一側面を持つ。

く：暮らしに木を取り入れる「木育」

　現在は，金属やコンクリートなどの素材が身近に多く使われており，日本人の生活から木材が遠ざかっていることが指摘される。木材を生活に取り入れることは人々の心身の健康に良いと考えられるだけでなく，森林環境を保全することにもなる。森林は，植えて，育てて，伐って，使って，また植えるというサイクルのなかで健全性を維持する。近年，この「木を使う（＝消費する）」という活動が停滞しているため，伐られない，植えられないということが起こり，地域によっては循環が止まっていると指摘されている。暮らしに木を取り入れるということは，無理なく木材を使うことであり，森林環境や日本の木の文化を保全する意味でも重要な活動になる。

け：経済を活性化させる「木育」

　毎日新聞（2022年1月21日記事）によると2022年度には全国1718市町村のうち885市町村が過疎地域に指定された。地方で過疎化が問題視されるのに対し，都市部では人口の過密化が問題視されている。地方から人口（特に若者）が流出してしまう大きな要因は仕事がないことである。過疎地域の多くが農山村地域であり，森林資源が多いという特徴をもつ。木材に付加価値をつけるなど森林資源を有効活用して農山村地域の経済を活性化させることにより，人口流出をはじめとした日本の抱える課題を解決できる。

こ：子どもの心を豊かにする「木育」

　暮らしに木を取り入れる方法の一つに子育てに木育を取り入れる方法がある。例えば木のおもちゃであるが，木は子どもの五感に働

きかけ，感情の発達を促すとされている。先述の「森のようちえん」にも通じるものがある。

　本稿で紹介する浦安市の事例は，まさしく子どもに焦点の当てられた木育である。

2．木を使うことのメリット

　樹木は大気中の二酸化炭素を吸収し，炭素化合物として体内にストックすることで成長する。つまり，太く大きな木であればあるほど，大気中の二酸化炭素の吸収に貢献してきたことになる。しかし，そのような木を仮に焼却処分してしまったならば，樹木の体内に吸収された二酸化炭素は再び大気中に還元されてしまうことになる。一方，木を建築材や家具として使い続けたならば，その使い続けられている期間中はずっと樹木内に二酸化炭素がストックされている。削減すべき対象と考えられている二酸化炭素も樹木内にあり利用されている限りは人々に効用をもたらす存在なのである。二酸化炭素という気体をアップサイクルという概念でみたならば，それを木材に変えて利用するということはこの上ないアップサイクルであろう。

　樹木の二酸化炭素の吸収力は成長に合わせて変化し，老齢になると衰えると言われてきた。そして，若い樹木の方が二酸化炭素を多く吸収する傾向があり，適齢期（スギであれば50年程度）で伐って植えるというサイクルが森林にも二酸化炭素吸収の面でも良いと長く考えられてきた。しかし，最近ではその考え方が疑問視されており，我々人間が老齢と考えてきた樹木も若い樹木と同じように成長を続けていることが明らかにされつつある。今までは，老齢になった（適齢期を過ぎた）木を伐り，それからその木の使い道を探すこ

とを必要としていた。つまり，先に木の供給があり，需要を探す必要があった。しかし，適齢期を過ぎた木であっても二酸化炭素を吸い続けていることが分かったため，これからは先に木の需要を見つけ，それに合わせて木を伐ることが可能になった。急いで木を伐って使おうとするのではなく，木の良さをしっかり見つめ，本当に木を使いたい場面で木を使うことが可能になったと言える。このことは木の製品を長く使うという意味でもプラスであろう。

　木を使うことは二酸化炭素の削減に貢献すると説明したが，それだけではインセンティブとして不十分であろう。木材は鉄やコンクリートと違い生物由来である。生物由来であるがゆえに生み出されるメリットの一部を紹介する。

　なお，以下は林野庁Webサイトに掲載されている研究成果を参考に記述している[注61]。

木材が細胞を持つことによるメリット

　木材は鉄やコンクリートと違い生物に由来しており，無数の細胞から成っている。その細胞のひとつひとつに空気を含むため，熱を通しにくい性質（高い断熱性）をもっている。山本孝ら（1967）の研究によると木材，ビニールタイル，コンクリートを床に敷き，足の皮膚の温度変化を60分間測定したところ，コンクリートがもっとも冷え，木材がもっとも冷えなかった。ここで熱伝導率を数値で表すとコンクリートが $1.000W/(m \cdot k)$ に対し，スギは $0.087W/(m \cdot k)$ と約12分の1であり，それだけ熱を通しにくいことを意味する。木材が高い断熱性を有するためにログハウスなどは鉄骨の家と比較して，夏は温度が低く，冬は温度が高く快適に過ごすことが

（注61）林野庁Webサイト「木材は人にやさしい」を参照して記述している。

できると言われている。例えば，鍋やフライパンの取っ手に付けられる身近な材料として木のほかに何が思い付くであろう（何も思い付かないのではないだろうか）。

　木材は細胞から成るために内部に空気を含んでいる。そのメリットとして，固形ながらもクッションのような性質を持つことも挙げられる。ここで細胞膜質と細胞腔の容積割合を比重と呼ぶ（比重は木材により異なり，1.00未満で水に浮き，それ以上になると沈む性質を持つ。多くの木材が水に浮くことが知られているが，それは水の比重が1.00に対し，木材がそれ未満のためである）。このような性質は，例えば床材などにした際に人の転倒時などの衝撃防止に役立つであろう。

　登石ら（1970）ではこの比重は空調機能を果たすことを解明している。比重の低い木材ほど含水率が高い傾向があり，それは木材が空気を含んでいる部分に代わりに水分が入り込むことを意味している。そして，木材の含水率は湿度が高いとき高くなり，湿度が低いときには低くなることが知られている。これは空気中の水分を木材が一時的に吸収，排出することを意味しており，このことは，木材を使って建てられた家は，気温面で快適なだけでなく，湿度の面でも快適な可能性を示唆している。

　コンサートホールやオペラハウスの壁には木材がよく使用される。これは木材が適度に音を吸収，反響させることが理由である。なお，新浦安駅の南口改札から繋がっている浦安音楽ホールも木材が多く使われている。豊かな響き，明瞭な音で本格的な音楽を体感できるホールであり，「静けさ」と「響きの風景」をテーマに音響設計が行われている。また，福島（1990）は木質空間の音色は私たちにとって親しみやすいものではないかと問いかけている。木のコンサートホールは音響効果に加えて視覚効果もあるという。木材には1/f（エフ分の一）揺らぎと呼ばれる視覚的なリラックス効果

を持つことが既に証明されている。木材の持つ独特の波状の木目が人々に癒しを与えるそうである。木材の木目にしても色合いにしても，統一がとれているようで取れていない。規則正しいようで正しくないような状態が脳内にリラックス状態を生み出すとされる。この視覚から作用する1/f揺らぎが，調和した音響と相まって木のコンサートホールは今なお高い人気を有していると考えられる。ただし，木材であれば必ずしも音響に適する訳ではなく，例えばギターやピアノの響板には北海道に多く自生するアカエゾマツの木材が適していると言われている（さらに言うと，寒い地域で育った年輪幅の狭いアカエゾマツの方が楽器材としての音色も良いという）。

木材が抗菌成分（フィトンチッド）を持つことによるメリット

　木材が生物由来であるメリットはもう一つある。それは木材が自身を有害な菌から守るための抗菌成分（フィトンチッド）を有していることである。

　全国社会福祉協議会が平成9年12月から翌年1月の2か月間にわたり，特別養護老人ホームの入居者を対象に心身不調出現率を比較したところ，木材が多く使われた施設では心身の不調が有意に少ないという結果になった。木材使用が少ない施設を100％とした場合，木材使用が多い施設ではインフルエンザの罹患率は76％，ダニ等でかゆみを訴える率は81％，転倒による骨折等は66％，不眠を訴える率は45％にまで減少している。

　これらの多くは木材が保有している抗菌成分（フィトンチッド）に由来した結果と考えられる。この抗菌成分は人や動物に有害な菌を寄せ付けないだけでなく，その香りにも様々に有益な機能（特にリラックス作用）を与えることが証明されている。例えば，木材が動物の健康状態に良いということを総合的に証明した研究として伊

藤（1987）がある。研究において木製の飼育箱で生活したマウスの方が，金属やコンクリートよりも生存率が高いという結果を得ている。また，そのなかでも抗菌成分が健康状態に与える影響が大きい可能性を示唆したものとして2020年に行われた酪農学園大学の研究がある[注62]。プラスチック製のゲージにマウスを分けて入れ，片方のゲージに樹木（アカエゾマツ）の芳香を漂わせ，もう片方に漂わせなかった。その結果，芳香を漂わせたゲージのマウスの方が有意に入眠が早かったのである。これはマウスにとって総合的にリラックスできる環境が創られたことを意味している。

　なお，木材は微量の抗菌成分を放出している。つまり，木で造られた建築物やおもちゃなどは，鉄やコンクリートのそれと比較して，人や動物の健康状態に良い影響を与える。つまり，日々の生活の中に木を取り入れるということは，二酸化炭素吸収のような環境面だけでなく，健康面においてもメリットがあるのである。

3. 木と浦安市

　木育の概念と木を生活に取り入れるメリットについて説明した。ここでは木と浦安市のつながりを説明する。日本は木の文化であるため，どのような地域においても少なからず木とのつながりはある。例えば浦安市のある千葉県の名前の由来は『千葉市史 第一巻』によると3説あり，その一つが「草木の葉の繁茂する様を形容したと

（注62）本内容は土居拓務，本田知之，安井由美子，前田尚之，酒巻美子，萩原寛暢，横田博（2020）「木育活動およびアカエゾマツ精油芳香曝露による唾液中ストレスホルモン（コルチゾール）の低減」に記されており，対象樹木はアカエゾマツである。また，研究は酪農学園大学獣医学類により実施されている。

する説」であったという(注63)。のちに谷川彰英氏（2016）により整理された内容から説明すると，それは『古事記』に記されている。『古事記』の時代なので当然，千葉という県は存在しない訳であるが，応神天皇が宇治の山に登った際に「千葉の　葛野を見れば　百千足る　家や庭にはも見ゆ　国のほも見ゆ（千葉の葛野を見れば，たくさんの村里も見えるし，秀でた国も見えることよ）」という歌を残している。

　千葉県のホームページによると『万葉集』においては天平勝宝7年（755年）に下総国千葉郡の大田部足人が「知波乃奴乃（千葉の野の）」と歌で詠んでいる。こちらは千葉でなく「知波」の漢字が充てられているものの，幾重に葉が重なるほどに木が生えた地域であったことを暗示している。

　しかし，筆者が伝えたいのは木が多く生えていたことではない。『古事記』や『万葉集』の時代まで遡ったとして，おそらく現在の千葉県の箇所にだけ木が多く生えていたとは考えにくい。日本は急峻な地形に見舞われており，人の立ち入りにくい山奥などではより多くの木が生えていたであろう。では，なぜ千葉県において「千葉」という句が多く詠まれたのであろう。おそらくは木々が人々の生活に近い距離にあったことが考えられる。木育の概念『木とふれあい，木に学び，木と生きる』に立ち返ると，木が多いことが重要なのではなく，いかに木と身近に接するかが重要であると言えよう。

　そんな千葉県に位置する浦安市は，昭和39年から昭和56年にかけての公有海面の埋め立て事業により市域を4.43km^{2}から約4倍の16.98km^{2}にまで拡大した経緯がある。埋め立てが完成した翌月に市制が敷かれ，当時の浦安村から現在の浦安市になった。なお，東京ディズニーランドが開かれたのは2年後の昭和58年である。

（注63）千葉県Webサイト「1.「千葉」と「ふさの国」の由来」を参照して記述している。

市の木としては昭和48年にイチョウが選定されている。これは千葉県で国民体育大会が開催されたのを記念して県からの要請があり，浦安に適した5種類の樹木から住民投票で選定された。

　日本国民に「浦安市と言えば？」と質問すると「東京ディズニーランド」という回答が多く返ってくるであろう。東京ディズニーランドが浦安市を象徴する一つであることは疑いないが，本稿では浦安市は「海辺のまち」「緑のまち」と説明したい。昭和56年に浦安市の生誕を記念して，ふるさとづくり推進協議会が「海と緑のまち」というタイトルで浦安市民の歌を制作（作詞：山本詳子，補作：岩谷時子，作曲：いずみたく）している。この歌詞の第1番に「海辺のまちの歴史を長く伝えておくれとこしえまで」，第2番に「緑あふれる並木路よ」というフレーズが登場する。この歌詞に浦安の当時の文化を窺うことができよう。浦安市とはまさしく海辺（漁業）のまちであり，緑あふれるまちであった。

　浦安市が漁業町であった痕跡は至る所に残っている。例えば郷土博物館のボランティア組織の名称は「もやいの会」と言う。「もやう」とは船を係留させるためにカシ棒（丸太）にロープをつなぐことを言い，ここでのロープの結び方を「もやい結び」と呼んだりする[注64]。

4．ベカ舟とは[注65]

　昭和46年（1971年）に漁業権を放棄するまで浦安は海苔の養殖

（注64）浦安市郷土資料館（2020）『浦安市郷土資料館年報』p.14を参照して記述している。

（注65）浦安市郷土博物館（1997）『浦安のベカ舟』および浦安市パンフレット「海苔ができるまで」「海苔養殖の1年」を参照して記述している。

で栄えた。海苔の養殖は海底にヒビと呼ばれる木の枝や竹を刺し，そこにノリの胞子を付着させることで行われる。浦安の海苔生産の歴史においては，当初は木ヒビが使われ，後に竹ヒビ，そして網ヒビと変化している。木ヒビ，竹ヒビのように漁業のなかにも自然と木材が取り入れられていた。

　本稿で強調したい浦安市の木の文化は，ベカ舟と呼ばれる海苔や貝の採取用の一人乗りの木造船である。浦安にベカ舟が登場したのは海苔養殖が始まる明治19年頃であり，漁業の最盛期には境川や船圦川に千以上のベカ舟が係留していた。しかし，そんなベカ舟も漁業権の放棄により使用されなくなり，他の漁業地域に売却されたり，壊されたりして姿を消した。

　この特徴的なベカ舟の呼び方の語源は諸説ある。ヘカやヘコという言葉には薄いや細いという意味がありそこに由来する説，または一番小さい船だったことから「部下舟（ブカブネ）」がベカ舟になった説がある。なお，後述する浦安市舟大工技術保存会を結成し初代会長であった宇田川信治氏（元舟大工・三代目勘兵衛）は，ベカ舟には三種類あるが，どれも小型で船底が薄くてベカベカとしなる舟だから「ベカ舟」と呼ばれたと説明している。

　昭和31年頃，海苔用のベカ舟は一艘約1万円，腰マキ漁兼用のベカ舟は約2万3〜6千円であり，当時の自転車1台（約1万6千円）や当時の公務員の初任給（約1万円）と同じくらいの値段であったという。

　日本は木の文化を失いつつあるという指摘がされて久しい。世界最古の木造建築である法隆寺のような，木材を適した場所に使う適材適所を担える大工が少なくなったとよく言われる。筆者が浦安市に様々ある木育のなかでベカ舟に着目した理由はこの点にある。木の文化と聞くとまずは木造建築が取り沙汰されるが，木造船もそれ

に負けず劣らずの重要な木の文化である。そして，その文化を歴史として地域に保存し，後世に伝えようとする木育（ベカ舟造り体験）は全国の木育のなかでも非常に優良な事例と考えられる。筆者は「ベカ舟造り体験」を取材させていただいたが，本体験を企画した方々は木育という言葉を認知していなかったように思われる。ただ純粋に浦安のベカ舟文化を後世に伝える目的で活動していたのである。木造船を造るにあたり木材の知識に疎いはずがなく，ベカ舟の側面には曲がりやすいスギ材を用い，船頭部（ミヨシ）にはヒノキを用いると教えてくれた。これは先述の木育活動の目的である「き：木の文化を伝える「木育」」に合致しているであろう。また，「ベカ舟造り体験」の参加者は親子限定であった。つまり，企画者は意識せず「こ：子どもの心を豊かにする「木育」」にも取り組んでいたことになる。

　熟練した大工であればシキ（底板）の製作から完成までに約1週間がかかる。木材はアカミ（木材の心材部（中心部の赤く固い部分））とシラタ（木材の辺材部（中心から外側の白い部分））に分けられる。浦安市のベカ舟はスギの心材部にあたるアカミだけを用いて製造された。シラタは水を吸収する性質があるため，海に浮かべると水を吸ってしまい腐りやすいからである。他方，先頭部分（ミヨシ）と船尾部分（トダナ）についてはヒノキが使われていたようである。

5. 浦安市における取組事例（親子ベカ舟造り体験）

　2022年7月9-10日の2日間にかけて2022年度のベカ舟造り体験（正式名称は「親子舟造り体験」）が浦安市郷土博物館にて開催された。本企画を担当したのは浦安市の学芸員であり，講師を務めたのは浦安舟大工技術保存会の会員である。浦安舟大工技術保存会は，

平成7年11月13日に浦安に伝わる造船技術を広く紹介し永く後世に伝えることを目的に結成された団体である。

「親子ベカ舟造り体験」は浦安舟大工技術保存会がボランティアで主催しており，木材を使用してミニチュアのベカ舟を製作する内容である。製作にかかる時間は6時間を約2日間の合計約12時間である。講師が事前に製作キットを手作りで下準備して当日に備える。

ゼネコンに勤務しつつ浦安舟大工技術保存会に所属するH氏にお話を伺った。H氏は，以前，興味を持ってベカ舟造り体験に参加したことがきっかけで会に所属し，現在は講師の立場として「親子ベカ舟造り体験」を支えている。

このイベントは親子での参加を基本としている。そして，会場では実際にお父さんが子連れで参加している姿が目立った（子連れ夫婦で参加している家庭もあったが，お母さんと子ども参加は見られなかった）。このイベントの開催趣旨は次の2つある。

（1）失われつつある浦安市の文化を後世に伝えること

（2）親子でノコギリを持って木とふれ合う機会を提供すること

先に木育の活動目的を「かきくけこ」の文字で示した。その際の「き：木の文化を伝える「木育」」と「こ：子どもの心を豊かにする「木育」」を見事に取り入れ，さらには浦安市の伝統文化であるベカ舟を後世に伝える役割を果たしていた。

またベカ舟の製造中，講師の口から適材適所を伝える言葉が多く飛び交っていた。

例えば，舟の横板は曲がりやすいスギの板材を使用し，その他の部材ではヒノキを使用するという。この言葉に筆者は感銘を受けた。「スギの板材はヒノキよりも曲がりやすい」と言うことは頭で分かっていてもそれを実体験で学んでいる人は少ないと思われる。実際に木材を扱って複雑な工作に携わる機会を提供している団体は

限られているし，その講師が木材の名前と性質にまで精通していることは稀と思われる。

　また，本イベントで使用している木材は集成材ではなく1枚物であるという説明もされていた。1枚物の木材でないと舟の横板を曲げて接着するようなことはできない。実際のベカ舟の横板が1枚物の板から造られていたように，ミニチュアも1枚物の板から造る必要があるという。さらに今回の体験会で使われているスギ板は樹齢200年以上の木から伐り出したもので，その切り株は現在も浦安市郷土博物館の付近で見ることができるという。まさに講師が木の性質について深く認識したうえで開催された木育と感じざるを得なかった。

　なお，イベント主催者の側では木育という言葉を特に使用しておらず，勝手ながら筆者が木育の一つとして取り上げている。本イベントの趣旨は先述のとおり，浦安市の文化を後世に伝えること，親子でノコギリを持って木と触れ合うことであり，木育の趣旨と一致している。

　もちろん，浦安市でも様々に木育活動は行われており，一つ一つが素晴らしい内容である。ここであえて本取組を木育の一つとして取り上げた意図としては，木育と冠していない活動のなかでも素晴らしい木育があるということを示したかったからである。

　「この取組をもっと広く行えないだろうか」「例えば，地域のお祭りなどで開催して，木の文化の素晴らしさを伝えられないだろうか」と質問したところ，「それは難しい」という回答が返ってきた。まず，ミニチュアのベカ舟の製造は簡単に行えるものではない。講師による事前の下準備を必要とするうえ，実際に製作する親子も1日約6時間もの間ノコギリなどを扱って作業を行う。ノコギリの使用は事故につながるため，あまり大人数を相手に企画するのは難し

いという。さらに，1日目の終わりに舟に横板を曲げて接着するという作業を挟む。この作業は強引に木を曲げて，その曲げた状態で接着するのであるが，その乾燥に1晩を要するのだという。そして，舟の横板が完全に接着したのを確認してから2日目の作業が開始される。

　つまり，完成までに2日間を要してしまうため，広く参加者を募って開催することができないのである。また，作業の難易度やノコギリを使う危険性を考えると，どうしても不特定多数の広い参加者を募っての開催は難しくなってしまう。

　ベカ舟のような木工は，木の性質を知るとても良い機会になろう。一方，現在，広く行われている木育活動は安全で子どもを対象にしたものが多く，これも木と触れ合う重要な機会として機能している。筆者は，木育で木への関心を高めた子どもが，年月を経て木工に興味を持ち，より木への理解を深めていくという流れを作ることが重要であると考えている。木育と木工の橋渡しになるような活動が今後は求められるのではないか。

6. おわりに

　現在，浦安市で，実際にベカ舟を製造していた船大工は残っていないという。2021年に最後の船大工とされていた2名が他界されたと聞いている。2021年に先のH氏が約7mの本格的なベカ舟の製造に取り組んでいた際はアドバイスをくれていたそうである。かつては，博物館の近くを流れる境川にも約1,800隻ものベカ舟が泊まっていたという。浦安市の伝統を正規に引き継ぐ方々がいなくなるのは何とも悲しい。

　ベカ舟に使う木材が1枚物であった理由は，継ぎ材では曲げるこ

とができないほか，舟を修繕する際に上手くいかないこともあった
ようである。舟は海に浮かべるために傷みやすく，ベカ舟は修繕を
繰り返しながら使われていたと講師から教えていただいた。漁業や
ベカ舟を通じて，木を日常生活に取り入れている当時の浦安市の様
子がありありと浮かんでくるような話である。

　本取材に協力してくれた浦安市郷土博物館では年間に多くのイベ
ントが開催されている。「大人になっても住み続けたい町」を目指
し，多様な世代が情報交換する場としての博物館を創ろうとしてい
る。「海と森の繋がりを子どもたちに知っていただく機会になれた
ら良いと思う」と「親子ベカ舟造り体験」を企画した学芸員の副主
幹は語ってくれた。

　浦安市は多くの特徴的な文化を残す地である。かつて千葉県内に
多く生えていたスダジイの木を海中に刺して海苔を養殖した時代も
あれば，関東一の金魚養殖場が置かれていた時代もある。現在，浦
安鉄鋼団地は日本一の鉄の流通基地であるが，かつては第一次産業
が栄えていた。浦安市は第一次産業からIT産業まで幅広い文化を
持つ地域なのである。しかし，多様な文化を持つことは，文化の移
り変わりが早いことも意味しており，世代が変わるごとに過去の文
化を失うリスクが高いとも言える。

　浦安市にはかつて漁業の文化があり，そこには木の文化も確かに
存在した。そして，時代は流れても，それらの文化を残そうという
動きがある。それ動きについて，近年推奨されている木育と呼ばれ
る概念と結び付けてここに記させていただいた[注66]。

（注66）本章の執筆にあたり浦安市郷土博物館副主幹（学芸員）の島村嘉一氏より貴重な
　　ご意見を賜った。末筆ながらお礼申し上げたい。

参考資料

登石健三・見城敏子（1970）「空気湿度変化緩和材としての木材の材種による相違」『保存科学』第6号，pp.25-36.

伊藤晴康（1987）「生物学的評価方法による各種材質の居住性に関する研究　マウスの飼育成績による評価」『靜岡大學農學部研究報告』第36号，pp.51-58.

土居拓務，本田知之，安井由美子，前田尚之，酒巻美子，萩原寛暢，横田博（2020）「木育活動およびアカエゾマツ精油芳香曝露による唾液中ストレスホルモン（コルチゾール）の低減」『AROMA RESEARCH』No.84（Vol.21/No.4 2020），pp.28-34

浦安市郷土博物館（2020）『浦安市郷土博物館年報』，pp.1-72.

浦安市パンフレット「海苔ができるまで」「海苔養殖の1年」，pp.1-6

浦安市郷土博物館（1997）『浦安のベカ舟』浦安市郷土博物館，pp.1-7.

谷川彰英（2016）『千葉　地名の由来を歩く』ベストセラーズ，pp.1-339.

特定非営利活動法人芸術と遊び創造協会 東京おもちゃ美術館 木育ラボWebサイト「木育とは」https://www.mokuikulabo.com/about（閲覧日：2022年8月9日）

林野庁Webサイト「木材は人にやさしい」https://www.rinya.maff.go.jp/j/riyou/kidukai/con_2_2.html（閲覧日：2022年8月9日）

千葉県Webサイト「1.「千葉」と「ふさの国」の由来」https://www.pref.chiba.lg.jp/kkbunka/kenminnohi/panel/panel1.html（閲覧日：2022年8月9日）

浦安市Webサイト，https://www.city.urayasu.lg.jp/（閲覧日：2022年8月9日）

MANAしんぶん 浜に生きる 21「東京湾に打瀬舟が走った」JF共水連機関紙「漁協の共済」2004年12月号・No.117, http://manabook.jp/hama19urayasu_udagawa.htm（閲覧日：2022年8月9日）

一般社団法人パイングレースWebサイト，https://pinegrace2017.wixsite.com/akaezo（閲覧日：2022年8月9日）

(著者紹介)

今泉浩一（株式会社明和地所会長）

河合芳樹（明治大学客員研究員）

厳　慧雯（早稲田大学大学院社会科学研究科）

康　璐　（早稲田大学大学院社会科学研究科）

張　政軼（早稲田大学大学院社会科学研究科）

土居拓務（明治大学兼任講師，森林総合監理士）

土門晃二（早稲田大学社会科学部教授）

新宅秀樹（早稲田大学招聘研究員）

中川直子（中央大学理工学研究科客員教授，浦安市環境審議会委員，
　　　　　　浦安市総合計画推進委員会委員）

水野勝之（明治大学商学部教授）

水野貴允（公認会計士）

渡邉伸子（国家資格キャリアコンサルタント，JCDA認定キャリア
　　　　　　カウンセラー，学校支援コーディネーター）

《編著者紹介》

水野勝之（みずの かつし）

　明治大学商学部教授，博士（商学）。早稲田大学大学院経済学研究科博士後期課程単位取得満期退学。経済教育学会会長。『ディビジア指数』創成社（1991年），『日本一学－浦安編』創成社（2007年，共編著），『新テキスト経済数学』中央経済社（2017年，共編著），『余剰分析の経済学』中央経済社（2018年，共編著），『コロナ時代の経済復興』創成社（2020年，共編著），『イノベーションの未来予想図－専門家40名が提案する20年後の社会』創成社（2021年，共編著）『地域創生読本－北海道浦幌編－』五絃舎（2023年，共編著）その他多数。

地方創生読本
―千葉県浦安市編―

2023年5月30日　初版発行

編著者　水野　勝之
発行者　長谷　雅春
発行所　株式会社五絃舎
　　　　〒173-0025　東京都板橋区熊野町46-7-402
　　　　電話・FAX：03-3957-5587
検印省略　©2023　K. Mizuno
組版：株式会社 日本制作センター
印刷：株式会社 日本制作センター
Printed in Japan
ISBN978-4-86434-169-1

地方創生読本
—北海道浦幌町編—

編著者：水野勝之

総ページ：250 ページ　サイズ：4/6 判並製カバー

定価：本体 1,600 円（税込 1,760 円）

出版コード：ISBN978-4-86434-168-4

本書は、北海道の十勝地方に位置する浦幌町に焦点をあて、経済面を中心にまとめた本である。本書では、経済を含めた総合的な視点、産業の視点、教育・文化と経済の視点、という三つの視点から構成されており、浦幌町がなぜ成功しているのかというテーマに沿って、地方創生のあり方や問題点に注目した。

お買い求めはお近くの書店、ネット書店などでお願いいいたします。また直接販売も行っておりますので、ご利用いただければ幸いです。

連絡先・お問合せ先

電話・fax：03-3957-5587

メールアドレス：

gogensya@db3.so-net.ne.jp

郵便振替：00180-0-62221